AGIS

FAIS CE QUE TU DIS!

30 témoignages de personnes qui se sont surpassées dans différents domaines de leur vie

CP du Tremblay, C.P. 99066
Longueuil (Québec) J4N 0A5
450 445-2974

info@performance-edition.com
www.performance-edition.com

Distribution pour le Canada : Prologue Inc.
Pour l'Europe : DG Diffusion
Pour la Suisse : Transat, S.A.
Pour l'Europe en ligne seulement : www.libreentreprise.com

ISBN : 978-2-923746-73-9
EPDF 978-2-923746-98-2
EPUB 978-2-923746-99-9

Couverture et mise en pages : Pierre Champagne, infographiste
Révision : Francine Lamy et Françoise Blanchard

Dépôt légal 1er trimestre 2014
Dépôt légal Bibliothèque et Archives nationales du Québec
Dépôt légal Bibliothèque nationale du Canada
Dépôt légal Bibliothèque nationale de France

Nous reconnaissons l'aide financière du gouvernement du Canada par l'entremise du Fonds du livre du Canada (FLC) pour nos activités d'édition.

Nous remercions la Société de développement des entreprises actuelles du Québec (SODEC) pour son appui à notre programme de publication.

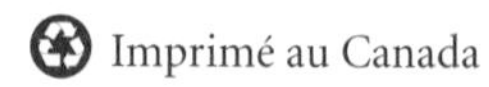

Table des matières

ROBERT SAVOIE ET IAN RENAUD

En partenariat avec le groupe
Destination SANS frontières

TABLEAU D'HONNEUR

Annie Metcalfe
Anthony Lavelle
Christine Fauvel
Claire Courchesne
Claire Lanthier
Éric Cardinal
Francine Morin
Gaston Éthier
Isabelle Champagne
Isabelle Lafrenière
Joelle Pellerin
Josée Dufault
Josée Ruel
Julie Lahaie
Julie Villeneuve

Kathy Boucher
Lucie Brisebois
Lyne Pelletier
Marie Joelle Tremblay
Marie-Josée Guindon
Marie Josée Laflamme
Mélanie Charron
Michel Dorman
Mi
Serge Cardinal
Stéphane Bellehumeur
Suzanne Coulombe
Sylvie Pelletier
Valérie Faubert
Yoland Gaudet

INTRODUCTION

Réveillez-vous et faites-vous du bien,
il est encore temps!

Trop de gens se laissent manipuler par des personnages qui les habitent et par de fausses croyances provenant de leur passé. Je considère l'être humain comme étant une merveille du monde, la création la plus extraordinaire qui soit. Rien au monde n'est plus riche et puissant que l'être humain. Rien n'approche cette création faite de chair qui possède de multiples pouvoirs et composantes. Bien sûr, Dieu est à l'origine de cette œuvre extra-ordinaire.

Vous n'avez pas la foi? Vous doutez de cette Source qui est en chacun de nous? Trop souvent, les gens confondent Dieu avec les religions. Plusieurs entretiennent une fausse image de notre Créateur, celle d'un Dieu punisseur. Je ne veux nullement vous faire la morale ni vous conseiller de croire en quelque chose de plus grand que l'être humain, je veux seulement partager mon opinion et ma croyance avec vous en souhaitant qu'elles atteignent votre cœur et qu'ainsi vous y puisiez la force de continuer votre route dans les meilleures conditions possibles.

Imaginons un scénario... Est-ce que vous avez déjà pris l'avion? Disons que vous avez répondu de façon affirmative. Lorsque vous êtes monté à bord, êtes-vous allé voir le commandant ou le pilote pour savoir s'il avait pris de la boisson, des drogues ou s'il avait des pensées suicidaires? Est-ce que vous lui avez demandé s'il aimait la vie, s'il était heureux? NON, VOUS N'AVEZ RIEN FAIT DE CELA! Donc, vous avez la foi, sinon vous n'auriez jamais voyagé à bord de cet avion. La foi, c'est d'avoir confiance en la vie. Notre nature humaine, constamment dans l'égo, l'orgueil et les histoires qu'elle s'invente, crée nos doutes et engendre notre manque de confiance. Les gens vivent dans le passé ou l'avenir, mais rarement dans le moment présent pour jouir pleinement de leur bonheur.

Le calcul est bien simple : 80 % des gens vivent dans la souffrance. Comment suis-je arrivé à calculer ce pourcentage? J'anime des ateliers de trois jours depuis plus de quinze ans et, à chaque fois, huit personnes sur dix ne veulent pas pardonner à leurs expériences passées, à leurs traumatismes et encore bien moins se pardonner à elles-mêmes. À la fin de la première journée, les participants commencent à se libérer. Lors de la troisième, les gens pardonnent et reprennent goût à la vie, et cela, en si peu de temps. Ils retrouvent l'envie de se créer de nouvelles façons de vivre. Les participants s'allègent du poids qu'ils transportent comme un fardeau sur leurs épaules, parfois depuis très longtemps. Ils ont confronté leurs personnages et leurs fausses croyances et, au lieu de les repousser ou de les refouler, ils prennent le temps de diriger le projecteur vers eux et de regarder en eux pour écouter leurs malaises, ce qui leur permet d'identifier les émotions refoulées depuis leur tendre enfance. Ils deviennent plus légers à l'intérieur et se sentent libérés d'un poids qui, finalement, ne leur appartenait pas.

Que signifie *pardonner?*

Pardonner, c'est un processus de guérison volontaire qui demande plusieurs ingrédients. Pourquoi est-ce que je parle de pardon au tout début de ce livre? Parce qu'il s'agit du plus grand pouvoir qui existe en chacun de nous. Peu importe le nombre de thérapies et les psychologues que vous avez rencontrés, si le pardon ne vous a pas été enseigné au moment de vos découvertes, vous ne pouvez pas être complètement libéré. Si vous avez déjà consulté en thérapie, c'est une excellente décision et je vous encourage à continuer. Je vais moi-même plusieurs fois par année en consultation, car il s'agit là d'un bon moyen d'introspection pour prendre conscience de nos émotions refoulées.

Par la suite cependant, nous devons nous pardonner d'avoir cru ou défendu inconsciemment certaines croyances ou personnages qui vivent en nous et que nous avons acceptés bien souvent pour ne plus avoir à vivre ces émotions refoulées qui nous maintiennent dans la souffrance. Pardonner, c'est simple lorsque nous décidons d'observer notre intérieur et d'affronter notre peur, celle de découvrir les émotions dissimulées en nous. Les êtres humains ont peur de découvrir quelque chose de laid en eux. Pourtant, c'est le processus le plus libérateur et le plus guérisseur qui soit. Prendre le temps de se libérer, de bien se regarder à l'intérieur, de faire le grand ménage et de faire une rétrospective de sa vie tout en évitant de laisser nos pensées nous contrôler pour être vraiment dans l'écoute de nos émotions présentes, sans fuir dans l'imaginaire.

Un des ingrédients importants pour cheminer dans la bonne direction, c'est d'être à l'écoute de son corps, de l'utiliser pour reconnaître les malaises qui vivent en nous au moment présent, dans le *ici et maintenant*. C'est à ce moment que nous pouvons lâcher prise, nous libérer vraiment.

Ces malaises, ce sont des expériences vécues depuis notre enfance, des traumatismes, des accumulations destructrices, des émotions refoulées, tous les non-dits que nous n'avons pas osé exprimer pour ne pas blesser les autres, toute forme de violence corporelle, sexuelle ou verbale, des deuils, un déménagement insécurisant, la séparation des parents, la perte d'un animal, d'un emploi, d'un ami, l'échec d'une relation amoureuse, et tant d'autres. Tous ces malaises résident dans notre jardin secret logé juste en-dessous de notre nombril. Ils emprisonnent notre pouvoir de création. Les racines empoisonnées de notre jardin secret vont jusqu'à éteindre notre flamme intérieure, étouffant ainsi notre créativité.

Pour quelles raisons l'être extraordinaire que nous sommes ne veut-il pas faire le ménage de son jardin? Pourquoi ne veut-il pas déraciner les ronces qui étouffent son pouvoir de créer sa vie quotidienne comme il le désire, dans la joie et le bonheur? C'est parce que l'émotion vécue au moment de l'expérience a été très souffrante et ce mal violent, insécurisant, s'est incrusté dans son jardin secret. L'émotion qui s'y est logée est si souffrante qu'elle nous amène à ne plus vouloir revivre ce mal intérieur, cette douleur insupportable.

L'être extraordinaire que nous sommes a mis en place des mécanismes de défense pour se protéger. Notre côté rationnel a développé des moyens pour ne pas revivre ce mal, cette souffrance qui crée l'insécurité : le refoulement, la banalisation, le fait d'agir comme *si tout allait bien*, ravaler l'émotion. Les possibilités de fuite sont nombreuses et agissent comme des mécanismes de défense. Tout pour éviter de se retrouver seul avec soi-même et prendre contact avec ses émotions : le travail et les heures supplémentaires, la télévision, trop de sommeil, une sexualité excessive, une spiritualité exagérée, les drogues, l'alcool, les médicaments, la nourriture, pour ne nommer que ces fuites.

Comment peut-on se libérer de nos émotions destructrices, sans même les avoir préalablement reconnues? Les enfants se font surtout dire d'arrêter de pleurer, que ce n'est pas si grave que ça, que c'est mieux de ne pas le dire à quiconque puisque les conséquences seront effrayantes. Parfois, les cris répétitifs d'un des parents ou de certains éducateurs vous ont tellement effrayé que vous ne voulez plus jamais entendre crier. Vous logez alors cette expérience dans votre jardin secret et vous développez un mécanisme de défense pour ne plus y retourner.

Faites-vous partie des 80 %?

Est-ce qu'il vous arrive de juger votre prochain? De le regarder avec envie? Sans vraiment le connaître, vous ne l'aimez pas et, sans trop savoir pourquoi, il vous dérange. Vous jugez votre partenaire parce qu'il ne fait pas les choses selon votre désir? Un collègue de travail qui vous énerve, la belle-mère que vous ne pouvez plus supporter, le beau-père qui vous critique constamment... et vous ne dites rien. C'est plus facile de subir et d'aller s'en plaindre à d'autres.

Je vous entends affirmer qu'il est normal de juger, que tout le monde le fait. Cette attitude démontre que vous n'êtes pas dans le moment présent, dans votre amour de soi. Les comparaisons peuvent tuer l'estime de soi puisqu'il s'agit d'un très bon mécanisme de défense pour ne pas reconnaître et régler les émotions refoulées. En vous comparant au pire ou au meilleur d'autrui, votre égo en profite, votre orgueil en est flatté ou, à l'inverse, cette comparaison vous démolit.

Le ressentiment, c'est-à-dire le fait d'entretenir de l'animosité à l'égard d'autrui est une autre façon pour démontrer que l'être humain se cache souvent dans ses personnages. La colère est un autre moyen pour montrer que vous n'êtes pas dans l'amour de soi.

> Le personnage de la *culpabilité* gonfle la moindre erreur et vous culpabilise.
>
> Le personnage de la *honte* vous écrase lorsque quelqu'un découvre un secret que vous avez gardé en vous toute votre vie.
>
> Le personnage de *l'infériorité* vous bloque complètement parce que, durant votre enfance, vous vous êtes fait écraser, réprimander. Vous aviez peur de parler, peur de répondre et d'exprimer ce que vous viviez. Puisqu'il a été

plus facile de refouler, d'acheter la paix pour ne pas être abandonné ou rejeté, vous avez préféré alors souffrir et ravaler les expériences vécues. Ne rien faire devient un choix facile.

Le personnage de l'*insécurité* gruge votre vie, car vous avez appris à ne pas sortir de votre zone de confort. Ce faisant, il vous faudrait changer votre routine : vous ne sortez jamais le lundi soir puisque c'est insensé, vous vous sentez coincé dans votre âme, vous êtes rigide avec vous-même et n'accordez aucune place aux possibilités de changement, vous gardez votre travail même si vous y êtes malheureux, car les avantages sont trop importants. C'est facile d'endurer, n'est-ce pas? Il ne vous reste que dix ans à travailler et vous serez à la retraite... Avez-vous calculé? Huit heures par jour à faire un boulot que vous n'aimez pas et vous revenez à la maison chaque jour et déblatérez à propos d'un employé zélé, d'un incompétent ou de votre patron qui vous donne trop de travail. Il vous est trop difficile d'affronter ces situations et vous préférez endurer, faire de l'insomnie en pensant à votre *maudit* emploi, rouler d'un côté et de l'autre durant toute la nuit. Vous en êtes à vingt heures de stress par jour, même si vous n'en travaillez que huit... Et le lendemain, c'est le même cercle vicieux qui recommence!

Le personnage de la *supériorité* vous fait bien paraître lorsque vous dites aux autres que tout va bien, que vous travaillez fort, que vous avez une meilleure position que votre voisin, que votre voiture roule plus vite que celle de votre frère, que vous êtes bien plus intelligent que votre meilleur ami, que vous parlez plus fort dans les réunions pour être certain que les gens vous entendent. La vie parfaite, la vie de rêve, c'est l'abondance, vous êtes bien mieux que les autres. Et pourtant...

Ces fausses croyances emmagasinées en vous, dont certaines sont inconscientes, ont mis en place des personnages qui vous habitent depuis l'enfance. Ces croyances ont eu leur utilité pour vous protéger des émotions négatives lors d'expériences ou de traumatismes passés. Malheureusement, n'ayant pas appris à vous en libérer, vous les défendez encore. 80 % des gens ne savent pas comment se libérer : ils reproduisent et répètent constamment les mêmes expériences de vie, les mêmes patterns. Ils changent de relation et se retrouvent encore dans une situation similaire; ils changent d'emploi et endossent encore l'état de victime; ils déménagent pour revivre l'enfer ailleurs, ignorant que, quel que soit l'endroit, nous transportons ce que nous sommes avec nous. Des patterns qui se renouvellent à répétition durant toute la vie!

Comment est votre discours intérieur? Est-ce que vous prenez le temps d'écouter votre petite voix? Avez-vous un discours intérieur dévastateur? Détestez-vous vos façons d'agir? Lorsque vous vous regardez dans le miroir, voyez-vous parfois une ordure, un déchet? Vous maltraitez-vous et vous tapez-vous constamment sur la tête? Êtes-vous votre pire ennemi? Détestez-vous vos personnages? Les ignorez-vous? Avez-vous de la difficulté à recevoir des compliments? Vous sentez-vous insignifiant? Faites-vous partie des 80 % qui fuient sans cesse?

La routine est bien installée et l'aspect matériel remplace tous les vides affectifs. Nous devons travailler encore plus fort, car les biens matériels sont bien plus importants que prendre du temps pour soi. Le mal de vivre est bien présent et nous nous levons le matin sans vraiment prendre le temps de vivre le moment présent. Nous sommes pressés, car nous devons reconduire les enfants le plus vite possible à l'école avant d'aller au travail. C'est la continuelle course folle. Je pourrais encore allonger la liste pour démontrer à quel point l'état de souffrance est bien ancré dans notre système émotionnel et physique.

Revenons à la notion du pardon. Comment s'y prendre pour pardonner maintenant? En lâchant prise sur tout ce qui vous empêche de vivre une vie plus harmonieuse avec vous-même et les autres? Trop d'êtres humains se cachent dans leur caverne de souffrance et ne parlent pas. Ils refoulent, jugent, blâment, abandonnent, rejettent le blâme sur autrui, cherchent à l'extérieur d'eux-mêmes des façons de remplir le vide affectif et recréent toujours les mêmes patterns, les mêmes situations.

C'est assez!

Voyons ensemble, à votre propre rythme, dans le respect de soi, dans la simplicité, de quelle façon vous pouvez vous libérer des émotions qui vous empêchent d'être vous-même, qui vous empêchent tout simplement d'ÊTRE.

Pardonner est, en définitive, un geste très égoïste. Le pardon est un pouvoir qui vous permet d'entrer en communication avec vous-même, avec votre société intérieure de personnages. C'est un des rendez-vous les plus importants avec votre *moi* profond, c'est la relation qui a le plus besoin de vous. Vous êtes l'artisan de votre relation, vous êtes l'artiste de votre parcours de vie qui doit monter sur scène et se donner un nouveau rôle, un rôle que vous allez *créer* et qui ne vous sera pas imposé par des gens qui vous ont fait souffrir dans le passé.

Ce que vous êtes devenu a été déterminé par vos parents ainsi que par les expériences que vous avez vécues. Aujourd'hui, avez-vous encore besoin de vivre la projection qui vous a été imposée? Vos parents possédaient sans doute de belles valeurs et avaient probablement vécu des expériences enrichissantes, des moments de plaisir, de joie. Il ne s'agit pas de rendre vos parents coupables de votre éducation affective; en fait, vos parents ont également eu des expériences douloureuses qui les ont marqués.

Les parents dont je vous parle sont à l'intérieur de vous. Ils représentent l'histoire que vous avez créée. Vous avez une image de ces parents, vous avez épousé les croyances qu'ils vous ont proposées ou imposées, mais aujourd'hui, en tant qu'adulte, vous ne pouvez continuer à vivre selon leurs normes ni les blâmer. Un adulte doit se responsabiliser et faire la paix avec son passé, l'assumer et trouver la valeur de chaque expérience afin de ne plus la reproduire. Il doit renaître à une autre réalité. Vous devez pardonner à ces parents qui font partie de votre société intérieure. Vous n'avez ni besoin d'une éducation universitaire pour pardonner, ni d'un quotient intellectuel élevé. En fait, vous n'avez qu'à faire preuve d'ouverture : l'intelligence de votre cœur vous libérera. Vivre constamment dans la souffrance n'est pas obligatoire pour *gagner son ciel*. Porter sa croix, comme le disaient nos aïeux, n'est pas nécessaire non plus : vous l'avez assez fait depuis votre naissance.

Le pardon... c'est un pouvoir gratuit et une richesse qui réside en chacun de nous. Ce pouvoir vaut plus que tous les biens matériels de ce monde. Rien n'est plus puissant que le pardon, car ce pouvoir nous a été offert par notre Créateur, notre Dieu, notre Source. De plus, nous sommes libres de choisir le moment du pardon, ce qui en fait un atout très puissant. C'est nous qui choisissons le moment de pardonner ou de continuer à vivre selon les personnages et les croyances que nous avons créés. Comment pouvons-nous ne pas pardonner? Nous avons la responsabilité totale de ce geste extraordinaire.

Personne sur cette Terre ne peut vous empêcher de pardonner. Vous seul avez le pouvoir de vous freiner. Lorsque nous éprouvons de la difficulté à pardonner, c'est parce que notre égo et notre orgueil ont pris le dessus. Pour défendre son territoire, l'égo nous renvoie les personnages que nous avons créés afin de ne pas rejoindre nos émotions refoulées. Nous avons une société intérieure des plus complètes, dont nous sommes les artisans et qui est gérée par notre égo. Il sait bien se défendre, il a à son avantage toute une société de personnages colorés derrière lui et de fausses croyances bien enracinées qui résident dans notre jardin secret.

Votre société intérieure est à votre service depuis votre naissance. Vous l'avez créée avec votre côté rationnel, votre imaginaire, votre intelligence, votre puissance créatrice. Les expériences et traumatismes vécus ont été trop souffrants et c'est la raison pour laquelle votre égo a voulu vous protéger.

Non, vous n'êtes pas un illuminé, mais plutôt un être qui devient conscient que sa société intérieure a voulu le protéger de certaines conditions vécues dans le passé. Votre société, ses milliers de personnages et ses fausses croyances, vous ont tous cru et défendu pour ne pas revivre la souffrance de vos expériences douloureuses.

J'ai moi-même vécu des abus de toutes sortes : physiques, psychologiques, sexuels ainsi que des traumatismes de violence. Aujourd'hui, après avoir pardonné à mes agresseurs et à moi-même, je peux vous confirmer que j'ai fait la paix avec mon égo et ma société intérieure que j'avais mise en place durant mon enfance. À cela, j'avais ajouté un monde de souffrances par l'usage de drogues, d'alcool, de nourriture et de travail excessif, car je ne connaissais pas mieux. Je me suis détesté et traité de tous les noms les plus dévastateurs. Je me suis senti comme un déchet pendant une grande partie de ma vie. Mes personnages m'emprisonnaient, telle une armure, car à ce moment-là, je ne savais pas comment agir, même si j'avais moi-même mis ces personnages en place croyant qu'ils me protégeraient.

Il faut donc apprendre à aimer ces personnages et ces fausses croyances que vous continuez à défendre encore aujourd'hui. Votre société intérieure a fait de son mieux avec les moyens qu'elle possédait et elle sera présente jusqu'à la fin de vos jours.

À partir de maintenant, il faudra vous créer de nouvelles croyances, miser sur l'accueil, l'écoute de soi et l'introspection, lors de vos prochaines expériences. Voilà pourquoi il est très important de lâcher prise. Pardonner, c'est ressentir les émotions qui se sont logées à l'intérieur de vous. Vous devez revivre le chemin parcouru et ressentir les malaises du passé, car ils sont encore bien imprégnés dans toutes les fibres de votre être. Une émotion, c'est de l'énergie qui, lorsqu'elle est cristallisée, empoisonne votre jardin secret. Voilà pourquoi vous devez identifier les malaises de vos expériences. L'histoire, vous la connaissez, elle se situe dans le rationnel. Cependant, les émotions refoulées demeurent dans votre jardin secret. Vous devez vous servir de votre histoire vécue pour exprimer vos malaises.

Pour illustrer mes propos, laissez-moi vous raconter une de mes expériences. À l'âge de sept ans, j'ai vécu deux abus sexuels dont je ne relaterai pas les détails, car ils ne reflètent pas les émotions incrustées dans mon jardin. Mes agressions m'ont fait vivre l'enfer parce que je ne voulais pas les revivre. Les émotions de honte et d'humiliation que j'ai vécues, je les ai plutôt refoulées. Je me suis caché dans ma caverne de souffrance, j'ai gardé ce secret enfoui au fond de moi et j'ai entretenu de la colère à mon égard. Je me suis senti comme un déchet et coupable d'avoir vécu ces deux actes de violence envers mon intégrité personnelle.

J'ai alors eu recours à des croyances superficielles et à des personnages imbus d'eux-mêmes pour ne pas revivre ce mal. Inconsciemment, je me suis traité comme une ordure par un discours intérieur très dévastateur.

Mon insécurité m'a fait plonger dans la domination de soi et je me suis fait justice moi-même en ignorant ma souffrance. Par choix, j'ai vécu de la violence intérieure. Je me sentais comme un déchet sans valeur et sans importance. Donc, je faisais presque n'importe quoi pour me faire aimer.

Je me suis pardonné après avoir réussi à exprimer mes sentiments. Cette expérience m'a amené à explorer d'autres souffrances puisque je revivais constamment les mêmes émotions difficiles. L'histoire, je la connaissais, mais je ne connaissais pas les émotions que j'entretenais en mon for intérieur. J'ai dû aller à la racine de mon mal. Pour en guérir et me pardonner, j'ai dû d'abord le revivre ainsi que tous les sentiments qui y étaient reliés.

Le processus du pardon est simple et très libérateur. Il est important d'être accompagné par des spécialistes expérimentés puisqu'ils ont cheminé et se sont pardonnés les expériences qu'ils ont vécues. C'est tellement extraordinaire, valorisant et sécurisant de voir les êtres se libérer : ce sont des moments magiques chaque fois que quelqu'un décide de plonger dans son jardin secret, de vivre ses émotions et de les exprimer à une autre personne. Chaque fois, un miracle se produit. Le mal intérieur se dissout, comme neige au soleil. Ce n'est qu'après avoir vécu le processus que nous comprenons l'importance de ne plus vivre en gardant quelque souffrance que ce soit à l'intérieur.

J'espère vous avoir convaincu du bienfait d'explorer les expériences déjà vécues et de lâcher prise. Vous devez verbaliser les émotions dévalorisantes logées dans votre corps, déraciner les ronces empoisonnées de votre jardin pour ainsi libérer les tensions qui emprisonnent votre être, vos besoins, votre créativité et vos intuitions.

Apprenez à aimer vos personnages, votre égo, vos croyances. Apprenez à vous écouter et à vous accueillir tel que vous êtes. Votre être a besoin d'amour et d'importance. Il faudra changer votre discours intérieur le plus rapidement possible, tout en préservant votre amour-propre. Un jour à la fois, vous y arriverez!

Robert Savoie

ÊTRE

En général, les êtres humains ont de la difficulté à prendre le temps de vivre. Je vous suggère fortement de prendre ce temps afin de reconnaître vos besoins. Comme je l'ai mentionné précédemment dans l'introduction, l'être humain laisse beaucoup de place aux personnages et aux fausses croyances qui ont été intégrés en lui de zéro à sept ans.

Les expériences de partage que vous lirez dans ce chapitre sont le résultat de gens qui ont osé, suite à une écoute de soi et de leurs intuitions, se dépasser et se libérer des peurs qui emprisonnaient l'être extraordinaire qu'ils sont. Ils ont osé changer leur rythme personnel, exprimer leurs expériences, leurs traumatismes et leurs émotions refoulées pour devenir des personnes de confiance pour eux-mêmes et pour leur entourage.

Nous devons être capables de façonner une vie plus créative, une vie plus harmonieuse avec notre cœur. Elle sera plus saine, mais surtout imparfaite, remplie de joie et de bonheur au quotidien. Vous pouvez y arriver, peu importe vos diplômes, la façon dont vous avez été élevé, que ce soit dans votre famille ou en famille d'accueil. Aujourd'hui, au moment présent, vous y avez droit. Vous avez le droit d'être dans la joie, de vivre des moments de tendresse, de vivre dans l'abondance et la prospérité.

Certes, il y a un travail à faire pour devenir l'être que vous désirez depuis votre enfance. Il ne faut plus attendre après les autres, et cela commence en lisant ce livre et en croyant que, vous aussi, vous avez le droit à ce qu'il y a de mieux. N'oubliez pas que vous avez été choisi par une Source puissante, plus grande que l'être humain. Vous avez été choisi pour vivre dans l'amour de soi et de votre prochain.

Revenir à la base de l'être

Revenir à la base de qui nous sommes vraiment. Des mots très puissants qui, bien souvent, sont tenus pour acquis.

Connais-toi, toi-même, disait Socrate.

Cela demande une intelligence du cœur qui est gratuite et disponible en chacun de nous. Vous n'êtes pas l'exception à la règle, vous avez le droit de vivre dans l'être puissant que vous êtes.

Aimez-vous les uns, les autres.

Paroles toute simples, mais ignorées par plusieurs. Les gens de votre entourage sont en mesure de vous refléter certains aspects de vous, car leur présence ressuscite vos personnages enfouis, dont certains que vous détestez. Il est donc évident que vous détesterez la personne qui les a ressuscités. Placez le projecteur sur vous. Écoutez votre personnage intérieur et donnez-lui de l'importance, car il n'a jamais été entendu. Une écoute de soi exige de prendre un temps pour soi. Est-ce que vous êtes prêt à prendre ce temps pour être plus heureux?

La lecture de ce livre saura vous guider et vous permettra surtout de vous investir de façon très simple dans votre être pour changer des habitudes de vie quotidiennes. Il agira comme un miracle en vous. Il vaut son pesant d'or, puisque le fait de choisir sa destinée est une richesse inestimable. Vous avez les mêmes pouvoirs que les gens les plus riches de la planète. Vous avez les mêmes pouvoirs que les gens les plus heureux de la planète. Vous avez assez perdu de temps. Commencez maintenant par admettre que vous n'avez pas toujours pris le temps de vous écouter pour savoir vraiment si vous répondiez à vos besoins et vos intuitions pour créer une vie harmonieuse dans l'être que vous êtes.

Les témoignages que vous lirez ont été rédigés par des personnes qui ont décidé de pardonner et d'admettre que leurs personnages intérieurs et leurs expériences emprisonnaient leur être.

Et vous, est-ce que vous pouvez commencer par admettre que votre passé n'est peut-être pas assumé, pardonné et que vous vivez dans l'ego de vos personnages et de vos fausses croyances? Admettre que la peur vous engourdit, vous empêche de créer des changements qui vous brûlent de l'intérieur?

Soyez conscient que vos expériences constituent une richesse, qu'elles ont une grande valeur, même si elles ont été très difficiles à vivre. Tant que vous garderez cela dans votre caverne de souffrance, vous ne ferez qu'exister. L'isolement et le refoulement vous empêchent d'être.

Le fait de ne pas vous pardonner votre passé, de ne pas l'assumer ni l'accepter vous empêche de vivre le bonheur. Vous avez déjà parcouru la moitié du chemin. Pour parcourir l'autre moitié, il faut prendre le temps de vous connaître et d'ouvrir votre prison qui empoisonne votre être. Faites comme les auteurs de ce livre : allez consulter, trouvez un endroit de confiance qui enseigne le pardon. Les gens forts et intelligents prennent cette décision, car ils veulent vivre dans la joie et la sérénité.

En lisant ces pages, vous faites preuve d'intelligence. Je vous propose de prendre ce temps avec vous-même pour retrouver l'être extraordinaire que vous êtes.

Témoignage de Claire Lanthier

Souffrance…

Je me sens vide… Étrangement, ce vide prend tout la place. Il m'étouffe.

À l'âge de 48 ans, je constate l'ampleur du mal qui m'a été infligé autant par moi-même que par d'autres personnes. J'ai voulu prendre sur mes épaules des poids qui ne m'appartenaient pas.

Je crois me souvenir que jusqu'à l'âge d'environ 12 ans, j'étais heureuse, enjouée; je suis encore ainsi aujourd'hui quand je me sens bien – dans de rares moments.

J'ai été violée et abusée sexuellement. Quand j'y repense, c'est de la peur que je ressentais et ensuite, ces sentiments se sont transformés en culpabilité.

> *J'aurais dû crier, me défendre, mais je suis restée muette; j'étais figée dans le temps. Je ne voulais pas savoir, voir, ni ressentir quoi que ce soit, car je prenais conscience de ce qui se passait. Je me suis sentie tellement seule, impuissante, abandonnée, déçue, comme un enfant croyant au Père Noël à qui on annonce soudainement et brutalement qu'il n'a jamais existé. Je me souviens de mes dernières paroles ce soir-là : « Ma Claire, tu devras t'y faire, car le restant de ta vie sera ainsi. Tu ne seras plus la petite princesse qui attend son prince charmant, tu ne seras plus la fille de tes parents, car tu les auras amèrement déçus. »*

J'ai dû faire disparaître toute trace de l'acte, allant jusqu'à me faire avorter et à subir un curetage. À partir de ce moment, devenir adulte était pénible. Les rêves de petite fille n'avaient plus aucun sens, n'avaient plus leur raison d'être.

Un peu plus tard, j'ai subi d'autres abus que je croyais alors *moins graves*. Cependant, je constate aujourd'hui qu'ils étaient tout aussi destructeurs. Je me sentais *vivante* seulement lorsque j'étais désirée, aimée pour mon apparence physique, et ce, même parfois dans des moments de brutalité. Enfin, j'ai trouvé un certain réconfort dans l'alcool et les drogues : quel soulagement pour moi, car je pouvais enfin *ÊTRE*! J'avais toutes les excuses au monde pour boire : je pouvais blesser autrui sans le ressentir, on pouvait me blesser sans m'atteindre réellement. J'abusais des substances pour continuer à *être* morte à l'intérieur. Durant ces moments, je pleurais, j'exprimais ma colère, mais je pouvais aussi ressentir de l'amour.

> *Tout ça n'avait plus d'importance. Pour moi, mon Père Noël était revenu, le prince charmant allait apparaître soudainement!*

Afin de survivre à cette souffrance intérieure, une *société* s'est développée en moi. Chaque personnage a pris la forme que je voulais bien lui donner : les méchants étaient bons et les bons n'existaient pas. Et moi, j'étais ce qu'ils voulaient que je sois. De temps à autre, après quelques thérapies ou une certaine période de sobriété, je faisais face à la musique, celle que je voulais bien faire jouer!

Je repartais alors à zéro, jusqu'à ce qu'un ou deux personnages daignent refaire surface et que je décide, encore une fois, de ne rien vouloir savoir, voir, ni ressentir. *Ainsi va la vie!*, me disais-je. Mais honnêtement, il y avait toujours un peu plus de la *vraie* Claire qui attendait patiemment de placer quelques mots ou messages; tout doucement, elle tentait de faire sortir ses personnages et de prendre tout l'espace à l'intérieur.

Je lui ai dit : « Attends encore un peu, laisse-moi une chance d'y arriver... »

Elle m'a répondu : « Tu voudrais bien que je te quitte, mais n'as-tu rien compris ? Je te demande de bien vouloir me garder et de prendre soin de moi. Moi, qui ai toujours été là pour toi. »

Me voilà ainsi. Je suis assise avec mes personnages et un à un, je les prie de me quitter tout doucement pour faire de la place à mon vrai monde : ma famille, mes amis(e)s, les personnes vraies et authentiques qui sont sur ma route.

Je demande à cet *Être supérieur* de m'accueillir, moi – cet enfant intérieur, et de bien vouloir me guider dans cette belle aventure qu'est la vie.

Claire, enfant, femme et adulte.

Témoignage de Gaston Éthier

La vie est un choix… Pourquoi alors choisir d'être malheureux?

J'ai soixante-quatre ans et je commence à être bien dans ma peau. Plus j'apprends à me connaître, moins j'ai peur et plus je suis en paix. Je chemine déjà depuis deux ans et je me sens encore comme un enfant qui apprend à marcher et à parler.

Les émotions, les sentiments, les fausses croyances, les comportements et les attitudes positives ne faisaient pas partie de mon vocabulaire. Étant l'aîné de trois garçons, j'ai grandi dans une famille monoparentale où je me sentais responsable du bien-être de ma mère. Inconsciemment, je m'oubliais à travers tout cela, me sentant obligé d'être parfait et ne me permettant pas de la contredire. Je ressentais de la culpabilité lorsque nous avions des problèmes à la maison.

Ma mère n'avait aucune ressource et nous vivions aux dépens de sa sœur. Elle a toujours accepté son sort sans se plaindre et n'exprimait jamais ses sentiments. D'ailleurs, elle ne m'a jamais dit qu'elle m'aimait, cela allait de soi… Il ne fallait pas être émotif, c'était déplacé de l'être!

Ma mère a quitté mon père à la naissance de mon petit frère alors que je n'avais que trois ans. Elle ne nous a jamais parlé de lui : c'était un sujet tabou. Ce n'est qu'après la naissance de mon fils que j'ai pris contact avec lui, mais ce fut de courte durée, car il est mort peu de temps après cette rencontre.

Depuis le début de ce projet, j'ai eu à affronter mes peurs et à me demander pourquoi, à mon âge, étais-je si malheureux? Pourtant, j'avais bien réussi dans la vie : j'avais une épouse, deux enfants adorables et six petits-enfants que j'aimais beaucoup et qui me le rendaient au centuple.

Auparavant, j'étais un père ferme qui n'exprimait jamais ses sentiments, exactement comme ma mère. Je n'avais même jamais dit à mes enfants que je les aimais. Aujourd'hui, je me le permets. Je me suis bien repris. Je ne me gêne plus pour caresser mes petits-enfants et les encourager à exprimer leurs sentiments. Bravo! Quel dépassement!

À force de me replier sur moi-même, de tout banaliser, de tout accepter sans me plaindre, d'acheter la paix pour éviter les conflits, je n'avais jamais osé affronter ma peur de déplaire. J'existais, je ne vivais plus! J'étais malheureux.

Je suis devenu dépressif, car la vie n'avait plus aucun sens. Je ne voulais pas souffrir de dépression comme ma mère. À force de refouler mes sentiments, j'en suis venu à vouloir divorcer. L'avocat que j'ai consulté m'a suggéré de suivre des thérapies en développement personnel : je lui en suis très reconnaissant aujourd'hui.

Depuis deux ans, je commence à m'épanouir, à me sentir bien dans ma peau, à m'accepter tel que je suis, avec mes faiblesses et mes forces, à admettre que j'ai des torts et que tout ne fonctionnera pas toujours comme je le voudrais.

La vie n'est pas toujours rose, mais elle est belle, car je sais maintenant sur quelle route je chemine. J'ai décidé d'être heureux, de me prendre en main. Je sais maintenant que le bonheur dépend de moi et de moi, seulement. Quel soulagement!

Je sais que je dois travailler énormément sur moi-même. Ce besoin est tellement puissant que je peux lire un livre de croissance personnelle chaque week-end. C'est très valorisant de se voir grandir et de s'épanouir. La seule personne que je peux changer, c'est moi-même. J'ai cessé de blâmer ma conjointe pour mon malheur. En étant heureux, j'attire le bonheur autour de moi. Je commence déjà à le ressentir. Pourquoi avoir été si malheureux, si longtemps!

Au diable, les fausses croyances! « Gaston, cesse de tout vouloir contrôler! » Ma vie me tient actif, et je n'ai pas à m'occuper de la vie des autres, à moins qu'on me demande conseil. Aujourd'hui, j'ai décidé d'être heureux. L'amour et le bonheur valent plus que la prospérité. Je vous invite à travailler à votre propre bonheur. Il dépend de vous, et de vous seulement.

LA TENDRESSE

Vivre de la tendresse exige d'abord de vivre de l'intimité avec soi-même. Lorsque je parle d'intimité, je veux dire prendre du temps seul et être tendre avec soi-même.

Le projet commun d'écriture que nous avons créé est basé sur nos intuitions : c'est un projet de dépassement de soi. Nous avons constaté, en quinze ans de métier en cheminement personnel et en psychologie, qu'il y avait trop de gens assis sur un potentiel extraordinaire et qui ne l'exploitent pas. Les peurs les envahissent et recréent les mêmes patterns, jour après jour.

Je suis une personne très intuitive qui prend beaucoup de temps pour écouter sa petite voix intérieure. Je dirige mes besoins, la part de divin en moi et ma Lumière intérieure. Cette voix me transmet des messages de création. Je n'ai pas toujours écouté ces voix intérieures. J'ai également vécu des expériences traumatisantes et plusieurs abus qui m'ont fait fuir dans la dépendance des drogues, de l'alcool, de la nourriture, etc. Écouter cette voix m'était impossible, car mes personnages prenaient tout l'espace... et cela, jusqu'au moment où je me suis pardonné.

Cette tendresse donne accès à l'*être* que nous sommes véritablement. Quant à moi, j'ai compris que pour y avoir accès, je devais m'offrir de la tendresse par l'écoute de soi, ne plus être dévastateur avec mon discours intérieur quand je me regarde dans la glace. Un mot à la fois : un mot tendre pour moi, un mot de compassion, d'empathie, un mot de ma volonté de vouloir améliorer ma vie. Plus je l'ai fait, plus c'est devenu une habitude riche et tendre... que je dois faire de plus en plus.

Aujourd'hui, pour avoir pu créer ce projet rassembleur, j'ai dû être tendre avec moi-même. Ma tendresse m'a conduit à mes voix intérieures qui guident ma vie. Un soir, alors que je donnais une conférence, j'ai eu une intuition du cœur, de l'âme. J'ai invité les gens à me faire confiance et à me suivre dans un projet commun d'écriture. La seule exigence était à l'effet que chacun ait la volonté et un engagement sérieux face à ce projet sans frontières. Bien sûr, mes peurs, mes personnages et l'ego ont pris une place à la fin de la soirée : je me suis accueilli avec tendresse sa création qui a vu le jour grâce à un partenaire, Ian Renaud, qui me permet de compenser mes points faibles et avec lequel il est extraordinaire de pouvoir collaborer.

Notre mission consistait à amener les gens à croire en leur plein potentiel et à leur droit d'accès à l'abondance et à la prospérité. Nous avons terminé la rédaction du livre que vous avez entre les mains huit mois à peine après cette soirée. Pour y arriver, il a fallu commencer par le pardon afin de faire de la place à nos intuitions, à nos richesses intérieures, se donner de la tendresse et de la douceur grâce à notre discours intérieur. Vous êtes un humain, non un extra-terrestre, alors ajoutez de la tendresse à votre discours intérieur. Lorsque vous ferez des erreurs, soyez tendre à votre égard. Ne laissez plus personne vous traiter de façon abusive en paroles ou en gestes.

Voici des témoignages remplis d'expériences dévastatrices, de violence et de traumatismes. Ces personnes ont su se libérer et commencer à se donner la tendresse et la douceur dont elles ont manqué durant leur jeunesse. S'aimer, ça commence par soi-même!

Témoignage de Annie Metcalfe

Si l'on me posait la question à savoir quel est le mot qui me caractérise le mieux, je répondrais *moyen* . Je suis une fille moyenne. Ni très intelligente, ni complètement stupide. Ni laide ni belle. Ni talentueuse ni dépourvue de créativité. Ni grosse ni mince. Ni perfectionniste ni paresseuse. Ni riche ni pauvre. Ni rejetée ni recherchée. Vous voyez l'image?

Dès la petite école, on pouvait le remarquer. Ou plutôt, on ne me remarquait pas! J'étais celle qu'on ne voyait pas. Je n'échouais pas, mais je ne me démarquais pas non plus. Je n'étais jamais la première choisie, mais pas la dernière non plus. Je n'étais pas rejetée, mais je n'étais pas adulée non plus. Dans les sports comme dans les arts, c'était le même scénario. Je grimpais toujours sur le podium, mais rarement en première place. Je faisais toujours partie du spectacle, mais je n'obtenais jamais le premier rôle. Je ne suis jamais sortie du lot, je me suis plutôt fondue dans la masse.

À l'adolescence, j'ai cessé de vouloir être reconnue pour mes bons coups. De toute évidence, je n'atteindrais jamais l'excellence. J'avais donc beaucoup de difficulté avec l'autorité, je faisais de moins en moins d'efforts à l'école et j'ai commencé à consommer drogues et alcool. Encore là, je n'avais rien d'une délinquante extraordinaire. Je n'osais pas enfreindre toutes les règles, je gardais un certain contrôle sur ma consommation, j'appuyais que les mauvais coups les moins risqués. Je faisais partie de ces petits délictueux qui n'osent pas trop plonger.

Puis vint l'âge adulte. Tant qu'à ne pas avoir le courage d'y plonger à fond, j'ai quitté le monde de la délinquance. Puisque j'avais abandonné les études, j'ai tenté deux ou trois métiers différents : même scénario. J'étais parmi les bons employés, mais je n'étais jamais la favorite. J'avais toujours les félicitations des patrons, mais jamais la promotion. J'étais plafonnée à être l'employée moyenne, je n'étais pas tout en bas de l'échelle, mais sans aucune possibilité de me hisser plus haut.

Je me suis alors fait à l'idée que je n'étais qu'un être humain moyen, que je n'aurais jamais ma place sous les projecteurs, que je n'accomplirais rien d'extraordinaire et que ma vie en serait une qui me ressemble : moyenne. J'ai terminé des études en comptabilité et j'ai ouvert mon petit cabinet.

C'est alors que je suis devenue mère et ma mission d'excellence a repris du service! Si je n'arrivais pas à être une élève douée, une sportive émérite ou une professionnelle accomplie, j'arriverais à être la meilleure mère au monde. Sans le savoir, je m'étais donné un défi de taille. J'étais monoparentale et ma fille est venue au monde avec seize allergies alimentaires, autant d'allergies respiratoires, un déficit immunitaire, asthmatique chronique et une grande surdité. Nous avons donc vécu quelques années entre l'hôpital et la maison. J'avais une petite fille fragile, mais tellement formidable! Souriante, elle était ma joie de vivre et le bonheur incarnés. Même dans les pires moments, elle avait toujours un éclat de rire en réserve. Espiègle, elle était toujours prête à s'amuser. C'était mon petit rayon de soleil, une enfant absolument adorable. Durant les six premières années de sa vie, ma fille a subi plusieurs chirurgies, ce qui lui a permis de recouvrer une ouïe parfaite. Les allergies et l'asthme ont disparu et son système immunitaire s'est stabilisé peu de temps après son entrée à l'école. La vie lui souriait en retour!

À l'école, elle a dû travailler d'arrache-pied pour rattraper le temps perdu à l'hôpital et ce n'était pas facile pour elle de tout acquérir en même temps. Elle arrivait à réussir, mais souvent de justesse et avec beaucoup d'aide. Que c'était difficile de voir mon enfant confrontée à ma réalité, à ma blessure! Je me suis entendue lui donner les mêmes encouragements que j'avais moi-même reçus de ma mère. « Tu as de belles qualités, tu as beaucoup d'autres talents, concentre-toi sur ceux-là. Fais de ton mieux à l'école, persévère quand c'est difficile et développe ton potentiel dans d'autres domaines. » Heureusement, c'était une enfant persévérante et enthousiaste quant à l'apprentissage. Curieuse, elle n'abandonnait pas devant les difficultés et cette attitude lui permet aujourd'hui de réussir, avec le sourire!

Quand tout s'est stabilisé pour ma grande fille, ma mère a été diagnostiquée d'une leucémie myéloïde aiguë. Je jure que la Terre s'est arrêtée de tourner un instant. Son sang, son système immunitaire et sa moelle épinière étaient atteints. Comment cela pouvait-il bien se produite à une personne si pleine de vitalité, de projets et d'amour à partager? Je l'aimais tellement, j'allais me battre avec elle et nous allions vaincre cette terrible maladie.

L'année suivante a été passée à son chevet. La vie s'était arrêtée. Mon univers tournait autour de l'objectif de sa guérison. Chaque jour était consacré à ses soins et à son confort. J'étais à ses côtés au quotidien à l'hôpital et je ne la laissais que pour prendre quelques heures de repos. Finalement, après de longs mois de traitement, les médecins nous confirment sa rémission! Nous avions le sentiment d'avoir enfin triomphé.

Pendant son hospitalisation, mon conjoint et moi avons acheté une maison et elle est venue s'installer avec nous à sa sortie de l'hôpital. La rémission était là, mais il restait beaucoup de chemin à faire pour qu'elle puisse revivre normalement et de façon autonome. Ce fut une période difficile pour mon couple et ma famille bien que nous essayions tous de nous soutenir mutuellement. L'épreuve dans laquelle j'accompagnais ma mère avait de grandes répercussions et la rechute de la leucémie, quelques mois plus tard à peine, n'allait rien arranger. Mais ma mère demeurait ma priorité.

Pendant cette période, j'avais régulièrement le sentiment de n'être pas assez. Pas assez amoureuse, pas assez mère, pas assez amie, pas assez performante dans mon travail. Chacun tirait sur son côté de la couverture et, bien que je sois débordée et épuisée, j'avais l'impression de manquer partout. La complicité profonde que je partageais à ce moment-là avec ma mère et le bien-être que je lui apportais me remplissaient d'une joie immense. Ce que nous partagions était unique et précieux. Je m'y suis consacrée corps et âme pendant dix-huit mois. Mais j'avais l'impression que je ne pouvais pas arriver à tout faire en étant une amoureuse passionnée, une mère attentionnée, une amie présente et une travailleuse performante. Alors que certains vivent un sentiment d'être extraordinaire, d'autres vivent un sentiment de culpabilité de n'être pas assez.

Récemment, ma mère a perdu son combat contre la leucémie. Je me suis fait répéter à maintes reprises par les médecins que je ne pourrais pas la sauver. Mais l'espoir était là. Une partie de moi croyait qu'à travers tout cet amour et ces attentions, qu'à travers les sacrifices des autres domaines de ma vie, l'issue ne pouvait qu'être belle. Aujourd'hui, dans le manque, dans le vide laissé par son absence, il y a encore et toujours cette petite voix, celle qui me dit que j'aurais pu faire plus, faire mieux. Et pourtant...

C'est à ce moment-là que j'ai pris conscience que mon impression d'être une fille moyenne était, en fait, un sentiment beaucoup plus profond. Une discussion avec un ami m'a ouvert les yeux sur mon grand perfectionnisme. Je fixe les standards de ma réussite très hauts, voire irréalistes, et je me désole ensuite de ne pas les atteindre. Et, au fil du temps, à force de connaître ce qui était à mon avis des échecs, j'ai parfois tout simplement cessé d'essayer. J'ai refusé nombre d'opportunités intéressantes par peur de l'échec. Je ne m'expose jamais, ne parle pas en public et en suis venue à détester être le centre d'attention d'un groupe. Je suis très rapide à remarquer mes manques, mais je prends rarement le temps de reconnaître mes bons coups. Mon discours intérieur est régulièrement diminuant envers moi-même. En poussant la réflexion un peu plus loin, je me suis même rendu compte que j'ai souvent rejeté les gens qui m'estiment ou qui me complimentent par peur qu'ils se rendent compte à quel point je suis au fond une fille ordinaire, et que de les voir s'éloigner me ferait souffrir.

Par-dessus tout, je réalise mon manque d'amour envers moi-même. Maintenant que ma mère nous a quittés, je mesure l'ampleur de tout ce que j'ai fait durant les derniers mois par amour pour elle. Mon désir consistait à vouloir lui offrir une vie meilleure, même dans la maladie, à l'entourer de douceurs, de petites et grandes attentions, à prendre le temps de l'écouter, de l'accompagner, de la soutenir.

Maintenant qu'elle est partie, et que je me sens seule au monde, je prends conscience à quel point je dois m'offrir tout l'amour que je lui ai offert. Je dois m'entourer de cette douceur, prendre le temps de m'écouter, de m'accompagner et de me soutenir. Je dois apprendre à me reconnaître pour toutes ces belles forces qui m'habitent. Je dois me pardonner tous ces vrais et faux manquements du passé et aller de l'avant. Je dois créer ma propre place sous les projecteurs.

Un ami m'a dit un jour: « L'Amour est toujours la réponse. » Je sais aujourd'hui à quel point cela commence par soi.

Témoignage de Kathy Boucher

L'abandon et le rejet…

Dès ma naissance, mon père biologique nous quitte, laissant ma mère accablée de chagrin et pleurant toutes les larmes de son corps en me berçant et en me serrant fort dans ses bras. Elle disait à ma sœur aînée qu'il ne fallait pas faire mal au bébé, mais plutôt en prendre bien soin. Ma sœur, elle-même en bas âge, ne pouvait que constater la turbulence que ce nouveau bébé provoquait dans sa famille. Depuis l'arrivée du bébé, sa mère ne cesse de pleurer et son père les a quittées. Elle en a assez de ce bébé qui prend toute la place dans sa vie et elle commence à me détester. Est-ce moi qui ai détruit notre famille?

À l'approche de mes trois ans, ma mère rencontre un autre homme. Ils forment un couple de parents fantastiques, *les meilleurs*, nous transmettant de belles valeurs. Je suis une petite fille choyée : week-ends à la campagne, feux de camp, voyages en famille, fêtes d'amies, réunions de famille unie. Une enfance heureuse.

La relation entre ma sœur et moi n'est pas bonne : elle me déteste pour avoir pris sa place dans notre famille. Elle est méchante et me blesse sans cesse physiquement et psychologiquement. Les membres de notre famille me complimentent souvent à propos de ma beauté et de ma gentillesse alors qu'ils ne le font pas pour ma sœur, ce qui alimente davantage sa rancoeur à mon égard. J'évite de me retrouver seule avec elle après l'école, car elle trouve toujours une bonne raison de s'en prendre à moi. Il en est ainsi chaque fois qu'elle se fait réprimander ou qu'elle rencontre un problème. Je me sens faible, comme si je ne valais rien.

Pendant toutes ces années, je suis à la recherche de MA place dans cette famille. À 14 ans, je suis déjà en couple dans une relation amoureuse sérieuse qui me permet de m'évader de chez moi. Mon amoureux me procure l'attention et l'affection que je n'ai pas reçues d'un père durant mon enfance. Cette union dure douze ans et mon fils Jessy naît en 1990. Enfin, je peux avoir ma propre famille et être quelqu'un d'important. Cette vie familiale réconfortante me fait oublier le rejet que je ressens de la part de ma famille.

Au cours de l'été suivant, ma sœur et moi, nos conjoints respectifs et nos bébés garçons entreprenons un petit voyage à Old Orchard Beach. Comme je suis heureuse! Enfin, ma sœur et moi allons avoir du plaisir ensemble! Mais cette grande joie est de courte durée. Après quelques jours, nous nous disputons encore une fois, ce qui fait resurgir les mauvais souvenirs du passé. Quelques mois après cet incident, mon mari et moi décidons de déménager à Gatineau. Enfin éloignée de ma famille, je pourrai vivre en paix. En janvier 1993, je donne naissance à ma fille Mélissa. Je me sens comblée. J'adore mon rôle de mère et je fais tout pour que mes enfants s'aiment et pour qu'il n'y ait aucun conflit entre eux. Mais, en décembre 1995, après une autre dispute avec ma sœur, je divorce, quitte mon emploi et je perds tout contact avec elle. Me voici encore seule, mais cette fois-ci, monoparentale avec mes deux enfants, âgés respectivement de six et trois ans.

À 26 ans, ma vie de famille monoparentale me fait oublier encore une fois le rejet et l'abandon de mon enfance. Je suis heureuse avec mes enfants, malgré les difficultés financières et un horaire assez chargé, partagé entre les responsabilités familiales, les leçons, les cours, les activités, les loisirs, etc. Je retourne aux études après un an de séparation pour me trouver un meilleur emploi afin de subvenir adéquatement aux besoins des enfants. Comme leur père a quitté Gatineau pour s'installer dans la région de Val-d'Or peu de temps après notre séparation, j'assume donc entièrement la charge familiale et financière.

À 27 ans, toujours à la recherche de l'amour et de l'affection d'un homme, je fréquente les bars pour tenter, je crois, de combler ce vide intérieur qui me hante depuis mon enfance, ou même depuis ma naissance. Je fréquente les hommes simplement pour avoir des relations sexuelles avec eux. Dès qu'ils s'intéressent trop à moi ou qu'ils deviennent amoureux, je me sauve, par peur de l'amour, peut-être... La peur d'aimer et d'être aimée pour ne pas vivre une autre fois ce rejet et cet abandon. Ce scénario dure plusieurs années.

L'été de ses 16 ans, mon fils m'annonce qu'il part vivre à Val-d'Or pour retrouver son père. Je vis difficilement ce sentiment d'abandon. Avec le recul, je prends conscience que je lui ai également fait vivre ce sentiment de ruiner notre famille quand j'ai quitté leur père. Je porte encore une fois la faute d'avoir détruit notre famille!

À l'âge de 36 ans, me voilà seule avec ma fille, âgée de 13 ans. Je tente toujours de retrouver mon chemin, ma route qui me mènera à ma destinée. Je me cherche, j'ai du mal à dormir. Mon vide intérieur est de plus en plus grand.

À 40 ans, je commence à me remettre en question, à regarder le passé, le chemin que j'ai parcouru jusqu'à maintenant et celui qu'il me reste à faire.

OÙ EST-CE QUE JE VAIS? Voilà la grande question qui me poursuit. L'idée me vient de tout vendre et de partir seule à l'aventure pour explorer le monde. J'en rêve, je fais les plans dans ma tête et sur papier, vérifiant les moindres détails. Mais où irais-je donc? Voilà que la peur m'envahit encore. Pourquoi est-ce que je n'arrive pas à me décider? Pourquoi est-ce que je remets toujours mes projets à plus tard? Quelle raison me pousse à toujours vouloir fuir? Je mets donc ce projet aux oubliettes.

L'année suivante, en janvier 2011, mon fils m'annonce que je vais être grand-mère. Quel bonheur! Voilà que mon cœur est comblé de nouveau. Cette belle petite princesse apporte une grande joie et beaucoup d'amour dans notre famille. Malheureusement, je ne la vois que très rarement, car mon fils vit toujours à Val-d'Or. En janvier 2013, c'est au tour de ma fille de m'annoncer que je serais grand-mère. Ce petit prince remplit tellement mon cœur de bonheur.

Pendant toutes ces années, je connais des relations amoureuses qui ne durent pas. Je cherche toujours ma place dans la société. Je change constamment d'emploi et de maison. Au cours des 18 dernières années, j'ai déménagé neuf fois, j'ai travaillé dans différentes entreprises avant de devenir pigiste en pensant que c'était la bonne formule pour moi, mais je les ai toutes abandonnées, les unes après les autres. Je cherche constamment ma route de vie. Où est ma place dans la vie? Avec qui? Quelle est ma mission? Est-ce que j'ai envie de partir pour aller à la recherche de mon bonheur? Est-ce pour trouver l'amour ou simplement trouver mon espace, là où je pourrais être moi-même ou simplement pour exister?

Les années passent et j'apprivoise ma solitude de plus en plus. J'aime mes petites soirées seule, à prendre soin de moi. J'apprécie nos repas et nos belles soirées en famille. J'adore chaque instant passé avec mes petits-enfants pour les voir grandir. J'adore mes soirées entre amies. Je prends conscience que mon bonheur se trouve à l'intérieur de moi, tout près de mon cœur. À moi de prendre soin de ma petite fille intérieure pour que son bonheur soit comblé, chaque jour, chaque minute, chaque seconde.

LES RÈGLES

Voici les règles que nous avons créées pour les ambassadeurs et ambassadrices du projet commun. Nous lisons ces règles à la fin de chaque rencontre pour bien les ressentir et les mettre en pratique. Ces nouvelles façons de faire les choses nous permettent de ne plus revivre les patterns qui sont enfouis au fond de nous-mêmes. Des règles simples qui demandent un peu de volonté pour créer des changements.

Je suis ambassadeur

Ce dont j'ai besoin de me rappeler lorsque je fais face à l'adversité :
Je ne croirai pas en l'échec, ni ne me laisserai abattre par les difficultés.
Je conquerrai ce qui n'a pas été conquis.
Je croirai en ce en quoi d'autres ont douté.
Je me battrai pour le respect, l'honneur et l'excellence de mon équipe.
J'ai un esprit fort qui m'amènera là où je veux.

Je suis ambassadeur

J'admets le fait que mon entourage ne s'attend pas à ce que je puisse réussir,
mais, JAMAIS je ne baisserai les bras;
JAMAIS je ne laisserai la faiblesse ni la peur m'envahir.
Je me concentrerai sur mes coéquipiers, ceux et celles qui m'épaulent et me soutiennent, et je puiserai la force nécessaire pour avancer.

Je suis ambassadeur

J'avancerai, un pas à la fois, sans abandonner.
Je persévèrerai et donnerai tout ce qui est en moi.
J'atteindrai mes objectifs par tous les moyens dont je dispose et lorsque je les atteindrai, je célébrerai, avec mon équipe, mes efforts récompensés.
RIEN ne peut m'arrêter.

Je suis ambassadeur

À mes côtés, j'ai mes camarades,
des camarades qui sont avec moi, bon temps, mauvais temps.
Par la détermination, l'effort, la confiance et la Foi,
JAMAIS je ne les laisserai tomber.
JAMAIS je ne les laisserai abandonner.
JAMAIS je ne laisserai la peur me les enlever.

Je suis ambassadeur

PERSONNE ne niera mon existence.
PERSONNE ne me définira.
PERSONNE ne me dira qui je suis et quelles sont mes limites.
Seule la *foi* que j'ai en moi améliorera mon destin.
La *foi* que j'ai en moi déplace des montagnes et fait briller le soleil.
C'est elle qui me portera vers la victoire et la réussite.

Je suis ambassadeur

Défaite, retraite, échec sont des mots que je ne connais pas.
Je ne connais pas le malheur.
Je ne connais pas l'erreur.
Mais, je comprends ceci :
je comprends victoire, persévérance, réussite, détermination, succès et ne jamais abandonner.

Quels que soient les difficultés et obstacles qui se dressent devant moi,
lorsque mon corps sera faible, ce sont mon *cœur* et mon *esprit* qui me porteront.

Je suis ambassadeur

Aujourd'hui est MA journée.
Pas demain, pas la semaine prochaine,
MAINTENANT,
ICI,
CHEZ MOI,
DANS MA VIE.

Je suis ambassadeur

L'histoire se souviendra de moi parce que j'accomplis, chaque jour, ma destinée.
Je ne dois rien à personne puisque je me définis moi-même.
J'écris mon propre livre, je détermine les propres chapitres de *ma* vie.
PERSONNE ne me dira quoi faire ni où arrêter.
JAMAIS je ne rentrerai à la maison sans avoir donné tout ce que j'ai, puisque ***je suis ambassadeur.***

Témoignage de Josée Ruel

Ma libération...

Dans la vie de tous les jours, je ressens souvent de la culpabilité lorsque j'ai du plaisir. Je dois souvent me ramener à l'ordre. Alors que j'étais en vacances, j'ai constaté à quel point c'était lourd et frustrant. Parce que mes vacances sont des journées très précieuses et grandement méritées, j'ai beaucoup de difficulté à vivre certaines journées dans la culpabilité et l'anxiété, et cela, sans savoir pourquoi. Surtout durant une période où je peux enfin relaxer et profiter de la vie. C'est en allant chercher de l'aide et en posant un regard sur mon intérieur que j'ai pu comprendre davantage l'origine de cette souffrance.

Je ressens de la culpabilité et de l'anxiété dès que je relâche ma vie disciplinée, organisée et bien rangée : que ce soit quand je prends des vacances, que je mange moins sainement, que je fais moins d'exercices, que je bois une bonne bouteille de vin, bref, dès que j'ai du plaisir. Quand cela se produit, j'ai honte de moi et je veux seulement m'isoler, ne voir personne. J'ai honte parce que j'ai tout pour être heureuse, mais je dois toujours me *créer* des problèmes. Quand je n'ai pas le choix et que je dois communiquer avec mon entourage, je laisse la place à mon personnage de tout va bien, sans oublier le sourire. Je sais maintenant que mon personnage n'enlèvera pas le mal que j'ai en moi, cette chaleur remplie d'anxiété au niveau de la poitrine, celle qui me cause de la douleur quand je respire et qui m'empêche de dormir la nuit.

Mes sentiments de culpabilité et d'anxiété ont débuté au cours de mes études universitaires pour deux raisons. La première étant que je voulais que mes parents soient fiers de moi à cause de mes bons résultats académiques. Mes parents ont toujours accordé une grande importance à la réussite scolaire, car ils voulaient m'assurer un bel avenir. Je leur en suis très reconnaissante, car je gagne très bien ma vie aujourd'hui. Étudier pour obtenir de bonnes notes était ma source de motivation. Je faisais beaucoup d'efforts : ma réussite ne m'était pas gratuite. J'éprouvais quelques difficultés dans certaines matières comme la géographie, les sciences physiques et l'histoire et je gérais mal ces résultats qui n'étaient pas parfaits. Aujourd'hui, je cherche encore à cacher mes faiblesses pour garder une image parfaite. J'ai de la difficulté à accepter la phase d'apprentissage. Je ne me laisse pas le temps d'apprendre, je dois performer dès le départ sinon, je me sens inutile. Ma confiance est alors très fragile et elle le restera jusqu'à ce que j'atteigne un niveau confortable. Sachant cela, je m'efforce de demander de l'aide, malgré ma timidité et je constate qu'il y en a toujours autour de moi. J'ai peut-être des difficultés dans certains domaines, mais j'ai aussi beaucoup de volonté et de détermination pour m'améliorer et aller chercher ce que je veux.

La deuxième raison était ce besoin d'être parmi les meilleurs de ma classe. Ainsi, j'étais certaine d'être intelligente et compétente. Pendant mon premier semestre à l'université, nous devions effectuer des travaux en collaboration avec d'autres étudiants et j'étais avec deux jeunes filles, toutes deux très brillantes et perfectionnistes. Pour elles, la réussite semblait si facile. C'est alors devenu mon standard.

Je croyais qu'une fois mes études universitaires terminées et mon examen d'ordre professionnel réussi, qu'enfin je ne ressentirais plus cette culpabilité et cette anxiété, celles que je ressentais quand je choisissais de prendre une pause plutôt que d'étudier. Je croyais qu'enfin je profiterais de la vie, que je serais libre et heureuse. Cependant, ce sentiment m'a suivie jusque dans ma vie adulte. Il y a maintenant des années que je vis ainsi et c'est devenu un état normal. Je n'ai pas appris à vivre autrement. Je vis dans une prison érigée par nul autre que moi-même.

Aujourd'hui, à 36 ans, je ne suis plus capable de porter le costume de mon personnage. Tout est trop serré et j'étouffe. J'ai besoin de respirer, d'être moi-même et de faire de la place à ma petite fille intérieure. Je mérite d'être heureuse et pas juste en apparence. J'ai besoin de sentir et de vivre le vrai bonheur. Je n'ai plus envie de vivre ma vie dans le but de gagner une bourse d'études, un certificat de mérite pour mon bon travail ou une place sur un podium pour mes habiletés sportives. C'est trop d'efforts pour un bonheur éphémère. Je n'ai jamais le temps d'y goûter : il disparaît tout de suite. J'ai constamment besoin de travailler d'arrache-pied pour obtenir du succès de plus en plus prestigieux. Je monte la barre plus haute, je dépasse mes limites, je m'épuise pour finalement ne jamais avoir la satisfaction que je désire tant assouvir. Mon image de perfection est tellement fragile. Lorsque je reçois des reproches ou des critiques, je les absorbe comme une éponge et ça me blesse, même s'il s'agit de critiques constructives. Je ne les accepte pas, car je travaille si fort. Je dois faire beaucoup d'efforts afin d'arriver à dissocier la performance de ma personne. Ça me fait mal d'écrire ces lignes, mais je constate que c'est mon seul moyen d'attirer l'attention et l'amour des autres, car je n'en ai pas pour moi.

Depuis que j'ai commencé à travailler sur mon développement personnel, je comprends mieux le fonctionnement de ma prison. Ma prison, c'est tout ce qui touche la perfection et la performance. J'entretiens cette image parfaite parce qu'ainsi, personne ne pourra me rejeter, me blesser, me faire des reproches, me disputer ou me punir. Si je suis parfaite, tout le monde m'aimera. Dans toutes les sphères de ma vie, je m'oblige à performer. C'est ainsi que je trouve ma sécurité. C'est lourd, c'est fastidieux, c'est stressant et c'est épuisant.

Lors de mon atelier de trois jours, j'ai posé un regard sur moi en me laissant guider. Ça m'a permis de goûter à la source de ma véritable personne. J'aime être Josée, car c'est si simple, léger, bon et vrai. Les dernières années m'ont été particulièrement difficiles et j'ai cru qu'à un certain moment, ma joie de vivre avait disparu. J'ai repris contact avec mon intérieur, en explorant avec douceur les blessures qui me font mal. J'y apporte tout mon amour. Plus je chemine dans cette voie, plus je me découvre. Je remarque que plus je suis authentique, plus je suis fière de moi et plus ma confiance augmente. Le simple fait d'avouer à quelqu'un que sa remarque me blesse, d'être capable de dire non à ce qui me déplaît, de prendre congé si je ne me sens pas bien, de prendre ma place dans un groupe, bref, toutes ces petites victoires m'apportent beaucoup plus qu'une place sur le podium. Quand je suis moi-même, c'est comme si tout est comme il se doit d'être, comme si je n'avais rien d'autre à faire qu'à me laisser bercer par la vie et la savourer.

Mon plus grand défi, c'est de m'accepter telle que je suis. Même si je ne suis pas la meilleure ou même si je ne réussis pas du premier coup, j'apprends à m'accorder ce droit. C'est comme ça que je resterai sur mon chemin de liberté, de paix et de bien-être. Même si des émotions de culpabilité et d'anxiété montent en moi par une belle journée ensoleillée, c'est en les laissant être qu'elles s'éclipseront d'elles-mêmes. Je prends conscience que pour rester dans ma lumière, je n'ai qu'à rester authentique envers mes besoins et y répondre. Me rappeler qu'agir pour vouloir plaire aux autres, ça ne fonctionne pas et ça ne fonctionnera jamais. Je remarque à quel point ma vie a pu être très encadrée avec peu de place pour m'exprimer librement. Aujourd'hui, cet aspect tend à changer pour me laisser de l'espace. Le fait de prendre de plus en plus ma place m'apporte une dose d'amour, car je me donne de l'importance. Je n'aime pas toujours ce que je ressens, mais lors de ces moments-là, c'est là que réside toute l'importance de m'accueillir. Chaque prise de conscience que je fais est un pas vers MA guérison. Mille mercis à la vie.

Témoignage de Isabelle Champagne

Je suis l'aînée d'une famille de quatre enfants et, depuis ma tendre enfance, je n'ai jamais eu peur de prendre mes responsabilités. J'aidais ma mère en accomplissant des tâches ménagères et en prenant soin de mon frère et de mes sœurs.

Je suis une personne très réservée, qui reste dans l'ombre de peur de déranger ou d'être un boulet pour les autres. Dans mes relations, je cédais ma place en me disant qu'ils en avaient plus besoin que moi. À force d'agir de cette manière, j'ai développé un sentiment de *non-importance*.

Lors de mon premier emploi, je faisais tout ce qu'on me demandait, comme une marionnette. Je ne pouvais faire autrement, car j'avais besoin de l'amour des autres. Deux ans plus tard, on m'a congédiée en me disant que je n'avais pas les compétences requises pour travailler avec le public, qu'il serait dans mon intérêt de changer complètement de domaine. Je ne comprenais pas du tout. J'étais caissière dans une épicerie et je gérais bien le compte de ma caisse, j'étais toujours aimable, je n'étais jamais en retard et j'étais disponible. J'étais complètement démolie, mon estime de moi-même était au plus bas et il m'a fallu quatre mois pour me retrouver un emploi avec l'encouragement de ma mère.

J'ai décroché un emploi de caissière dans une pharmacie et le patron m'a félicitée seulement trois mois après mon embauche. Ainsi, j'ai tranquillement repris confiance en moi. J'ai ensuite quitté le nid familial pour aller rejoindre mon petit copain dans la région de Gatineau où j'ai déniché un travail dans le laboratoire d'une nouvelle pharmacie où je suis devenue technicienne. C'est à ce moment que mon perfectionnisme a fait surface. J'ai eu beaucoup de difficulté à m'adapter, car je jugeais que mes collègues de travail étaient incompétents, faisant plusieurs erreurs et ne suivant pas les règles les plus élémentaires!

Ne pouvant endurer l'incompétence, j'ai changé d'emploi à plusieurs reprises, car lorsque je verbalisais les erreurs, les patrons rétorquaient qu'il y avait des choses plus importantes que ça dans la vie. Qu'est-ce qui est plus important que faire son travail correctement? Je ne me permettais pas l'erreur et quand j'en faisais une, il était certain que ça ne se reproduisait plus! Mes collègues ne voyaient pas non plus le boulot qu'il y avait à faire. J'étais la seule technicienne qui s'affairait à la tâche. Pourquoi en était-il ainsi?

Un jour, mes patrons ont offert aux employés une séance de motivation un dimanche après-midi. Je ne voyais pas la pertinence de m'y rendre. Je n'avais pas besoin de motivation, moi, j'aimais déjà mon travail! Le témoignage du conférencier au sujet de la mort de son père et de la façon dont il avait pardonné à ses agresseurs m'a tellement touchée que je me suis dit que je voulais, moi aussi, être bien dans ma peau et peut-être réussir à pardonner, comme il l'avait fait.

Je me suis donc inscrite à une autre séance de trois jours en compagnie d'une collègue et amie. Quand j'en ai parlé à mon entourage, ils m'ont mise en garde et j'avais des craintes quant à la qualité de cette formation : s'agissait-il d'une secte, est-ce qu'on voulait me voler ou encore profiter de ma vulnérabilité? J'ai partagé mes inquiétudes à ma collègue et nous y sommes allées, malgré toutes nos peurs.

Avec le recul, je peux affirmer que c'est le plus beau cadeau que je me sois offert.

À partir de ce moment, ma vie a vraiment débuté! J'ai découvert tellement de choses sur moi : l'insécurité vécue au quotidien, le nombre impressionnant de peurs qui m'habitent, ma dépendance affective et mon perfectionnisme poussés à l'extrême. J'ai découvert le peu d'importance que je m'accordais, croyant toujours que je ne méritais pas ce qui m'arrivait.

Maintenant que je suis consciente de tout ce qui m'habite, je peux avancer dans la bonne direction et travailler à mon amélioration personnelle. Cela fait maintenant trois ans que je fais un cheminement personnel et j'en apprends encore sur moi! La croissance personnelle est le travail d'une vie, un travail au quotidien. Par contre, je sais que je ne pourrai jamais être parfaite. Pourtant, c'est ce que j'ai essayé d'atteindre toute ma vie, faisant tout ce qu'on me demandait, évitant de faire des erreurs, accomplissant les tâches moi-même pour réussir à atteindre la perfection et me faire aimer de tous. Maintenant, je constate que les gens m'aiment pour la personne que je suis vraiment. Plus je suis authentique avec eux, plus ils m'aiment !

Tout cela s'est concrétisé lorsque j'ai rencontré des amies merveilleuses. La première est la collègue qui m'a accompagnée lors de ce séminaire de trois jours. Elle a été la première à me dire que j'étais son amie et je me souviens très bien du choc que cette révélation m'a causé : je me suis sentie envahie par la peur de l'étouffer, de l'éloigner de moi comme je l'avais si souvent fait dans mon enfance. J'ai toujours voulu l'exclusivité, mais personne n'était prêt à me l'accorder. Je lui en ai donc parlé, j'ai voulu la mettre en garde contre moi, mais une fois cet aveu déclaré, une immense fierté m'a envahie : j'avais ma première amie, Chantal. La seconde se nomme Micheline; je l'ai rencontrée lors des séminaires. Nous étions toutes deux timides et nous avons commencé à se rencontrer à l'extérieur. Elle a tellement une belle écoute, elle est généreuse et toujours prête à voler à mon secours. La troisième, c'est Karine, une collègue de travail, mais surtout une confidente : elle sait lire sur mon visage si ça va bien ou pas. Je suis très choyée de l'avoir dans ma vie quotidienne.

Depuis que j'assiste à des ateliers de croissance, j'ai réussi à combattre plusieurs phobies, dont celle d'aller chez le dentiste. Ça m'a pris vingt ans à me décider! Une autre phobie est celle des seringues. J'ai demandé à mon patron de me montrer comment remplir des seringues d'insuline. Lors de ma première tentative, j'ai gaspillé trois aiguilles, car je tremblais trop, puis j'ai fini par acquérir plus de confiance en moi. J'ai encore peur de me piquer, mais je sais maintenant que je peux contrôler cette peur. Ensuite, j'ai vaincu ma peur des hauteurs en allant en montgolfière avec mon copain. J'ai pris panique juste avant de monter à bord, mais j'y suis allée quand même et, maintenant, j'en suis très fière, car le paysage en valait vraiment la peine!

Comme je suis timide, je n'aime pas parler devant les gens, mais ça fait plusieurs fois que j'ose. Malgré mes jambes molles, mon émotivité et ma difficulté à trouver mes mots, je le fais quand même et je constate que ça devient de plus en plus facile. J'ai même fait un témoignage devant une caméra. Dernièrement, je me suis rendue à un spectacle en voiture sans connaître le chemin exact : un autre dépassement pour moi! Une fois sur place, j'ai parlé à un inconnu, ce que je n'avais jamais osé auparavant de peur d'être rejetée, et nous avons eu une très belle conversation.

J'apprends à mieux contrôler mon perfectionnisme, car c'est ce qui me nuit le plus dans la vie. Ce n'est pas toujours facile pour les gens qui m'entourent, car je suis très exigeante envers moi-même et, par conséquent, je m'attends à la même chose des autres. Ils ne sont pas aussi perfectionnistes que moi, donc je dois apprendre à accepter leurs points forts ainsi que leurs points faibles, tout comme ils doivent accepter les miens. J'ai parfois besoin d'un petit rappel, mais je fais beaucoup d'efforts pour m'améliorer. Mes amies sont là pour m'encourager et me soutenir dans mes choix. Elles font vraiment une grosse différence dans ma vie.

Je me rends compte maintenant que mon ancienne vie était vide. Je ne faisais que suivre le courant sans jamais oser sortir de ma zone de confort, car tout changement me perturbait. Ça m'ébranle encore, mais j'essaie d'être plus spontanée pour faire ce qui me plaît au moment présent, sans toujours planifier. C'est très bien d'être organisé, mais ça fait aussi du bien d'avoir un peu de spontanéité dans la vie !

En participant à ce collectif, j'ai décidé d'affronter mes peurs, en particulier celle de n'avoir rien d'intéressant à dire : c'était un très gros défi pour moi et je suis très fière de pouvoir dire : mission accomplie!

LES ÉMOTIONS

Les émotions que nous vivons sont de l'énergie en mouvement dont la puissance peut détruire un être humain à petit feu. Par contre, l'émotion comprise et écoutée, lorsqu'elle se manifeste à l'intérieur, peut être extraordinaire et bénéfique. L'énergie et les émotions constituent l'essence même de la vie. La journée où vous cesserez de vivre des émotions, c'est que vous serez mort.

L'être humain refoule ses émotions, s'ampute pour ne pas vivre celles qui ont été difficiles et souffrantes. Les émotions négatives doivent être libérées par le pardon si nous voulons transmettre à notre entourage de l'énergie libératrice et régénératrice. Pour vivre un tel projet d'écriture et le mener à terme, il a fallu se laisser transformer par les émotions exprimées et verbalisées qui emprisonnaient notre Source créatrice. Les membres de l'équipe ont dû se responsabiliser, donner accès à leurs émotions refoulées qui les empêchaient de prendre leur place dans le groupe, de se voir en tant qu'ambassadeurs dans un amour inconditionnel, car les émotions refoulées cèdent la place à leurs personnages en créant des peurs qui nous refoulent dans la caverne de la souffrance.

Pour avoir accès à notre créativité, à notre intuition, il fallait sortir de l'isolement, malgré les réactions plutôt vives de certains participants. Voici ce que chacun devait faire pour solidifier son amour à l'égard des autres : exprimer les non-dits accumulés depuis le début du projet en suivant ces étapes :

1. Demander à la personne si elle est prête à entendre ce que vous avez à lui dire.

2. Si la réponse est positive, lui exprimer ce qui se passe au moment présent en verbalisant vos non-dits. Par exemple : « J'ai peur de ta réaction, j'ai peur que tu m'abandonnes, j'ai peur de te perdre, etc. »

3. Poursuivre avec le non-dit : « Je ne me suis pas senti respecté quand tu as parlé fort. »

4. Ensuite : « Mon besoin est de me sentir respecté avec toi, de me sentir important. »

5. Pour terminer, laisser la personne exprimer de quelle façon elle reçoit votre verbalisation. Il est important de la rassurer en lui disant que cette émotion déclenchée provient de vous.

« Mes peurs sont... »

« Je me suis senti... »

« Mon besoin est... »

Tous ont vraiment apprécié l'exercice malgré les pleurs, la culpabilité ou la honte suscités par les non-dits, car les êtres humains ne veulent généralement pas blesser les autres. Cependant, garder les non-dits pour soi ne constitue pas un acte d'amour envers soi ou la personne concernée, car les personnages prendront place et détruiront l'amitié, les relations amoureuses, les relations interpersonnelles et bien plus.

Vous devez vous donner accès à vous-même en exprimant vos émotions. Cela démontre le respect que vous vous témoignez, votre intimité, votre tendresse, votre amour de soi. Les émotions ne sont pas des *bestioles* ni des monstres. Vous devez les exprimer pour préserver votre santé affective. Les prochains témoignages vous démontreront l'importance d'exprimer ses émotions.

Témoignage de Isabelle Lafrenière

Nouvellement diagnostiquée TDAH, j'ai compris pourquoi je plongeais constamment dans la dépression, pourquoi je ne m'aimais plus. Je me suis empêchée de prendre ma place et je n'ai accordé aucune importance à mon être, à mon âme, à moi, simplement pour essayer d'être normale. J'avais si peur que quelqu'un remarque qui j'étais et, pour m'assurer que ça ne se produise pas, j'ai enfermé mes émotions et ma petite fille intérieure dans une cage fermée à clé, il y a de ça très longtemps. Je me suis toujours sentie comme si je n'étais pas à la hauteur, comme si j'étais assise au milieu d'une piste d'athlétisme et que tout le monde me dépassait.

Quand j'ai reçu mon diagnostic à l'âge de 36 ans, j'étais heureuse de pouvoir enfin mettre des mots sur ce que je vivais : ça expliquait toute ma vie et ça m'a beaucoup rassurée. Je pouvais maintenant comprendre pourquoi c'était le chaos dans ma tête. Et puis, j'ai commencé mon traitement avec des stimulants.

Mon énergie est revenue instantanément, mon anxiété a diminué, je me suis mise à mettre de l'ordre dans ma tête. Je pouvais me concentrer sans être incommodée par les stimuli extérieurs. J'ai eu l'impression de renaître, de respirer et de commencer une nouvelle vie. Tout devenait clair dans ma tête, comme si l'on donnait une paire de lunettes à une personne souffrant de myopie! Je pouvais enfin dénouer cette boule d'émotion pour finalement voir la lumière. Ma confiance en moi a tranquillement augmenté. Je me sentais présente dans mon corps, je revenais de la planète Mars! C'est comme si ma tête était soudainement connectée avec mon corps. Je parlais plus souvent et je m'exprimais mieux.

La colère m'a vite envahie en pensant à quel point ma vie aurait changé si j'avais été diagnostiquée plus jeune. Toutes les fois où je me suis critiquée parce que je ne me sentais pas à la hauteur, toutes les fois où je n'arrivais pas à écrire à l'école, à suivre les consignes. Dans ma tête, tout allait tellement vite et je n'arrivais plus à suivre le fil de ma pensée. C'est comme si je zappais devant la télé à toutes les secondes. À l'école, j'étais toujours distraite. J'étais une grande rêveuse, alors je passais inaperçue avec mon TDAH. Je n'arrivais pas à me concentrer, à suivre les autres et j'avais beaucoup de difficultés d'apprentissage. Par conséquent, j'ai doublé ma cinquième et ma neuvième année d'école. Je voyais tout le monde réussir et moi je ne me sentais pas à la hauteur, pas assez compétente. Ma confiance et mon estime personnelle se sont complètement envolées. Je me suis toujours sentie différente des autres à cause de mon hypersensibilité.

Maintenant que je voyais plus clair grâce à cette médication miraculeuse, j'ai pu, pour la première fois de ma vie, identifier et étaler devant moi mes blessures, mes émotions. Avant, j'avais toujours cette boule dans la gorge du matin au soir. C'est tellement douloureux d'identifier mes blessures : j'ai mal en dedans, j'ai envie de vomir, j'ai mal partout dans mon corps et je veux juste fuir et m'abandonner comme je l'ai si souvent fait.

Au moment même où j'écris ce témoignage, ma tête fuit, ça prend tout mon courage pour me ramener face à moi-même, car j'ai toujours autre chose à faire pour fuir.

À l'âge de 22 ans, j'ai eu ma première fille, mon rayon de soleil, mon ange! Elle a été ma force. J'ai voulu être une meilleure personne afin d'être une bonne mère monoparentale pour elle. Elle m'a si souvent inspirée à lui montrer l'exemple. Les mots *je t'aime* font partie de mon vocabulaire quotidiennement depuis sa naissance. Je lui ai donné tout l'amour dont j'ai manqué, au meilleur de mes connaissances.

J'avais maintenant 30 ans, je venais de vivre une autre séparation et je ressentais l'échec de ne pas être à la hauteur de ma vie. J'ai pris tout mon courage pour aller demander de l'aide à mon médecin, malgré la honte de me sentir ainsi. Je vomissais presque tout ce que je mangeais, j'avais perdu dix kilos en un mois, je n'avais que la peau et les os. Je mangeais par obligation. J'avais une boule dans la gorge et chaque bouchée me donnait envie de vomir. Je ne vivais plus, je survivais avec des antidépresseurs, des calmants, des pilules pour dormir. À chaque respiration, je ressentais une douleur physique intense à l'intérieur de mon corps, une douleur que je ne peux décrire.

Mon orgueil refusait de voir la réalité en face. De jour en jour, je m'enfonçais dans ce sable mouvant. Je voulais m'en sortir toute seule comme une grande, je devais continuer à vivre comme si tout était normal. Ma descente dans un trou noir fut horrible. Chaque fois que je pensais avoir atteint au fond du baril, je m'enfonçais encore plus bas. La mort me hantait, je ne voyais plus aucune solution à mes problèmes, je ne percevais plus mes forces, je me sentais nulle, bonne à rien, je m'isolais. Je ne voyais plus la lumière, je broyais du noir. J'ai commencé à me demander comment j'allais mourir, j'étais au bout de mes forces. Tout mon corps tremblait de peur. Le seul fait de respirer était un effort, tellement j'avais mal.

Un jour à la fois, j'ai repris du mieux. J'ai repris du poids et je me suis remise dans ma routine. Un an plus tard, j'ai fait la rencontre de mon conjoint, un homme formidable qui m'a permis de grandir, qui m'aime pour qui je suis et je vis actuellement mon rêve de vivre une vie de famille. Nous avons acheté une belle maison et avons eu deux beaux enfants.

Puis, peu à peu, j'ai recommencé à être épuisée, puisque j'étais très exigeante envers moi-même : je devais être la meilleure en tant que mère, conjointe, amie et employée. Je n'arrivais simplement plus à gérer ma vie. Encore une fois, j'ai souffert de dépression et je me suis retrouvée en arrêt de travail pendant un an. Finalement, je me suis avoué que je ne pouvais pas m'en sortir seule. Je me sentais tellement comme une mère indigne, coupable d'être comme ça, moi, mère de famille de trois enfants que j'aimais plus que tout au monde; mes anges, ma raison de m'accrocher à la vie et de me choisir afin de leur offrir une vie meilleure que la mienne. Je ne voulais surtout pas leur transmettre ma souffrance intérieure.

Alors, cette force m'a poussée à partir à la rechercher de qui je suis, à la découverte de cette flamme intérieure qui veut exploser de toute son énergie. Cette force que j'ai écrasée en moi m'affaiblissait de jour en jour. **C'est à ce moment-là que j'ai découvert que c'est moi qui me faisais mal.**

J'étais désespérée, je ne savais plus vers qui me tourner, j'avais peur de déranger mon entourage, j'étais découragée de moi-même. C'est à ce moment-là que j'ai regardé le ciel et j'ai prié : « S'il te plaît, si tu es vraiment là, c'est le temps... Aide-moi, je t'en prie, aide-moi à comprendre le sens de ma vie... Je suis perdue, je me sens vide à l'intérieur. »

En amorçant ma recherche en croissance personnelle, j'ai découvert des gens sensibles qui avaient de la compassion et qui savaient écouter nos souffrances sans juger. Maintenant, un bien-être enveloppe mon corps, mon âme au complet, je suis heureuse de vivre, je crois en moi de tout mon cœur. Je veux aider mon prochain.

Ce projet d'écriture m'a fait constater à quel point j'avais des attentes envers le monde entier, mais que la SEULE personne qui pouvait répondre à mes besoins, c'était MOI.

J'ai aussi pris conscience que le bonheur est un choix de vie qui se cultive au quotidien comme on arrose une plante, une fleur, un arbre. Ma colère enveloppait toutes mes blessures afin de me protéger et elle agissait ainsi depuis mon enfance. Maintenant, elle est mon alliée, ma motivation pour me propulser au sommet, à la source, à la lumière. J'ai décidé de prendre ma vie en main avec une bonne dose de courage et d'aller consulter un thérapeute afin de guérir les blessures de mon enfance.

Je souhaite comprendre mon fonctionnement et mes peurs. Je m'entoure de gens positifs qui croient en ma réussite et j'ose demander de l'aide plutôt que de m'isoler. Chaque jour, je prends le temps de me ramener au moment présent afin d'apprécier le bonheur qui m'entoure.

J'ai cessé de seulement *exister.* Je veux vivre dans la pleine dimension de mon être, passer du bon temps en famille, regarder mes enfants grandir et s'épanouir, leur enseigner l'importance de s'aimer, d'avoir confiance en eux, de garder leurs rêves actifs et d'y croire. Pour ça, je dois commencer par moi.

Aujourd'hui, j'ai décidé de vivre.

Témoignage de Marie Joelle Tremblay

Écrire ce témoignage me fait extrêmement peur. En ce moment, j'essaie d'apprivoiser cette peur en la vivant, en la verbalisant. J'essaie d'accepter qu'elle fasse partie de moi et qu'elle m'aide à avancer. Je ne veux ni la banaliser ni la faire taire en l'écrasant ou en l'étouffant.

Pour moi, réagir de cette façon n'est ni facile ni naturel. Jusqu'à très récemment, j'aurais refoulé cette peur, comme je fais taire toutes les émotions qui montent en moi. Je ne me suis jamais permis de les vivre simplement. Dès que je me sentais le moindrement triste, fâchée, apeurée, heureuse, excitée, je coupais l'émotion immédiatement en la rationalisant. Maintenant, je sais que j'agissais ainsi pour garder le contrôle sur moi-même, pour rester forte, pour ne pas être vulnérable. De cette façon, je ne m'exposais pas aux blessures ou aux jugements, mais je restais également hors d'atteinte émotionnellement pour ceux qui m'entouraient.

Cette crainte que j'avais par rapport aux émotions a également entraîné des conséquences quant à la perception que j'avais de moi-même. Comme mon idéal était de ne pas me laisser aller aux émotions, j'étais très dure avec moi quand je me rendais compte que j'avais dérogé à ma règle. Chaque fois que je vivais une émotion dite négative, comme la peine, la colère, la honte, la culpabilité, je m'accusais d'en être la cause et d'avoir mérité de me sentir comme une moins que rien. Je m'isolais beaucoup dans ces moments-là, car je n'endurais pas que quelqu'un d'autre puisse être témoin de ma faiblesse, de ma vulnérabilité. Je ne voulais accepter ni l'amour ni la compréhension des autres parce que, moi-même, j'étais incapable de m'en donner. Bien sûr, toute cette dureté envers moi-même a fini par grandement affecter ma confiance personnelle. Le cercle était complet : je m'empêchais de ressentir mes émotions, je me rabaissais en me jugeant inapte à être immunisée contre elles ou à en maintenir le contrôle. Ma confiance diminuait et je devenais encore plus intransigeante à mon égard quand je ressentais une émotion : je la neutralisais alors rapidement avec encore plus de fermeté.

Mon contrôle sur les émotions ne se restreignait pas seulement aux émotions plus difficiles à vivre. Malheureusement, je m'empêchais également de vivre des émotions plus positives telles la joie, l'excitation, l'anticipation et la gratitude. Dès que je me surprenais à me laisser aller à l'une de ces émotions, le même mécanisme se mettait en branle : je rationalisais automatiquement l'émotion positive de façon à me *ramener sur terre*. Encore une fois, j'avais l'impression qu'en me laissant vivre ces émotions, j'exposerais ma vulnérabilité et que quelque chose de terrible en découlerait. Bien sûr, aujourd'hui, je peux expliquer tous ces mécanismes, mais auparavant, tout se faisait de façon inconsciente.

Quand j'ai amorcé mon cheminement personnel, j'essayais surtout de me trouver. J'avais l'impression de ne pas me connaître et, en toute honnêteté, je ne m'aimais pas. Toute ma vie, je m'étais violentée psychologiquement, j'avais fini par me convaincre que personne ne pouvait m'aimer réellement. Toujours inconsciemment, j'avais honte et je me sentais très coupable de ne pas m'aimer. Ce n'était pas rationnel de penser ainsi : j'avais tout pour être heureuse et m'aimer, alors pourquoi en étais-je incapable? Cette honte me grugeait de l'intérieur et créait un inconfort que je n'étais plus capable de maîtriser ni d'endurer. J'étouffais.

Plus j'apprenais à me connaître et à m'accepter, plus les émotions cherchaient à s'exprimer. Et moi, par réflexe, je les repoussais et me blâmais de ne pas être assez forte. Je me combattais sans cesse, c'était épuisant! Souvent, j'ai eu l'impression que ma tête voulait exploser et que j'étais en train de perdre la raison. J'essayais de m'ouvrir pour découvrir qui j'étais vraiment, mais automatiquement, je me refermais sans savoir pourquoi. Je me fâchais contre moi-même parce que je ne réussissais pas et, tout de suite après, j'essayais de me dire que c'était correct, de ne pas être trop dure avec moi-même. Vraiment, j'étais perdue.

Avec l'écriture de ce témoignage, j'ai dû plonger à maintes reprises dans mes émotions, presque de force, mais toujours en ayant l'impression que je livrais un combat. C'est à partir de ce moment que je me suis rendu compte que j'avais de la difficulté à les vivre et que je m'empêchais très souvent de les ressentir. Maintenant, j'apprends de plus en plus à les accueillir et à les apprivoiser. Ce n'est pas toujours facile parce que mes réflexes sont très bien ancrés, mais j'apprends aussi à ne pas me rabaisser quand je n'y arrive pas. Bref, j'apprends à lâcher prise sur tout ce contrôle que j'essayais d'exercer à l'intérieur de moi.

L'une des belles conséquences de tout ce travail est la fierté que je ressens quand j'arrive à vivre une émotion et à la partager avec ceux qui m'entourent. C'est un sentiment nouveau qui m'apporte une grande satisfaction. Je me sens plus authentique et il n'en découle que du positif de la part des gens qui m'entourent.

Je peux dire que je m'aime de plus en plus parce que je me découvre avec sincérité.

Démarrer

Dpour démarrer, c'est tout à fait normal de chercher à se parfaire, à s'améliorer. Mais à quel point et à quel prix? Être intelligent est très important pour son image, mais que faisons-nous pour nous instruire au niveau du cœur et du partage? Cœur et partage, deux pouvoirs qui méritent une attention et une écoute particulières pour rendre grâce à notre amour de soi.

Tout ce que l'être humain entreprend est destiné à revenir dans son cœur, dans l'amour de soi. Le partage devient alors un instrument important pour démarrer un projet, une activité qui pourra engendrer le bonheur. Apprendre à placer son intelligence intellectuelle au service de son cœur pour partager des moments d'amour, peu importe le projet.

Ce projet commun d'écriture a vu le jour pour partager nos forces, unir nos connaissances, libérer notre passé pour le transformer en amour, car l'amour est le plus grand des secrets. Démarrer un projet exige beaucoup de cœur et de confiance en soi. Ce chapitre vous aidera à démarrer un projet, un rêve qui n'a jamais été réalisé, un objectif qui n'a jamais été atteint.

Chacun d'entre nous est spécial, unique et possède un génie créatif. Vous êtes le créateur de votre plein potentiel. C'est pourquoi il est important de répéter des mots clés à notre inconscient qui est illimité. Répétez, répétez, répétez votre rêve, votre objectif.

En tant qu'adultes, il est urgent de considérer quels patterns nous empêchent de créer une image de soi tel que nous le souhaiterions. Il faut prendre le temps d'écrire son scénario idéal, mais cela exige de *démarrer* quelque chose, de ne plus attendre à demain.

> Qu'est-ce que je veux vraiment?
>
> Où est-ce que je me vois?
>
> Comment est-ce que je me vois?
>
> Quel genre de personnes est-ce que je veux dans ma vie?
>
> Comment est-ce que je vois ma relation amoureuse ou mon célibat?
>
> Combien de temps est-ce que je vais consacrer à ma spiritualité?
>
> Est-ce que je veux faire uniquement ce que j'aime? Que vais-je faire?
>
> Ajoutez vos propres idées.

Les lois naturelles de la vie sont accessibles à chacun de nous. Écrire votre scénario idéal vous demandera un temps d'arrêt; vous devrez VOUS choisir, prendre rendez-vous avec vous-même. EST-CE QUE VOUS ÊTES ASSEZ IMPORTANT POUR CELA?

Écrivez vos objectifs :

____

____

____

____

____

Votre discours intérieur prendra place avec vos peurs, vos doutes. Exemple : Je suis incapable de réaliser cela, c'est trop dur, je n'ai jamais pu, etc.

Le pouvoir des affirmations positives est très important et doit être écouté, car notre inconscient produira exactement ce que vous affirmez. Ces affirmations se manifesteront et s'accroîtront au moment présent avec une énergie positive.

Une de mes clés du succès est cette phrase simple mais puissante dont j'ignore la source, mais je souhaite en remercier l'auteur. Identifiez bien tous vos objectifs puis écrivez-les en commençant par cette phrase :

Simplement, facilement, de façon saine et positive, je réussis à ______________________________

Nous devons répéter cette affirmation aussi souvent que possible, des milliers de fois!

Les doutes, les peurs, la méfiance et votre voix intérieure reviendront, mais ne sous-estimez pas cette phrase puissante qui se transporte dans votre inconscient et répond à vos demandes de façon illimitée. Soyez votre propre Aladin, énoncez vos vœux. Ces intentions écrites, clairement définies, doivent être formulées en affirmations positives et être lues avec conviction.

Pour chaque objectif, rédigez une page simple qu'un enfant de dix ans pourrait comprendre. Cet objectif constitue le plan que vous construirez pour atteindre vos rêves, vos objectifs, votre réussite.

Dernière étape: passez à l'action, créez des intentions, envoyez un message clair et précis à votre inconscient.

Il n'y a rien de nouveau dans cette façon de faire. Environ 90 % des avions dévient de leur trajectoire, obligeant le pilote à repositionner constamment son appareil. Comment revenir à notre trajectoire quand nous sommes sur le point de dévier? Simplement en revenant à notre objectif. Les plus grands secrets sont bien simples :

Demandez et vous recevrez.

Cherchez et vous trouverez.

Aimez-vous les uns les autres.

Aime-toi comme tu aimes ton prochain.

Aime ton ennemi.

Les gens oublient vite ce secret le plus puissant qui existe : l'AMOUR. Aimer, servir, et ne pas oublier d'aimer et de servir. Voyez la vie comme si tout était un miracle. Lors de votre prochaine méditation, demandez d'être éclairé. Visualisez-vous dans un monde meilleur, un monde sans limites, créez un espace de richesse, de gloire, d'amour.

Relevez-vous, relevez-vous encore! Nourrissez-vous de nouvelles pensées positives en utilisant des affirmations positives. La souffrance n'est pas nécessaire, soyez responsable et faites des choix conscients, car nos pensées deviennent des actions. Demandez-vous si vous agissez par amour, sinon c'est que vous agissez avec le doute, la méfiance et la peur. Ce sont les voix intérieures qui envahissent nos rêves et l'image que nous voulons créer dans l'amour de soi.

> Si vous vivez le doute et avez des peurs qui vous empêchent de créer votre image de soi et vos rêves, il est important de prendre le temps de vous arrêter, car c'est un bon moyen d'identifier votre malaise. Servez-vous de ce malaise comme d'un instrument important pour créer votre plan de l'image de soi.

Visualisez que vous pouvez créer votre image de soi de façon harmonieuse dans l'amour.

Le discours intérieur revient défendre son territoire : l'égo, l'orgueil, vos personnages et les fausses croyances de votre enfance accourent pour interférer avec votre plan.

Voyez vos actions comme des expériences pour ne pas les répéter.

Tentez l'expérience.

Le processus des affirmations positives n'est pas facile au début, car l'égo défend son territoire, par contre, c'est simple et facile. Prenez le temps, accordez-vous cette importance. Choisissez-vous dans l'expérience vécue et dans le temps que vous vous accordez.

Quand le discours intérieur reprend sa place dans le doute, les peurs et la méfiance de réussir, posez-vous ces questions pour regarder intérieurement la peur qui vous engourdit et mettez des mots sur vos peurs.

Voici les questions à se poser :

Quel est le problème?

Exemple : Je suis dépassé par cette expérience, j'ai peur des jugements, j'ai peur de me tromper encore une fois, j'ai peur de la réussite, j'ai peur de sortir de ma zone de confort, j'ai peur de perdre, j'ai peur ......

Quelle émotion ressentez-vous?

Exemple : Mon déclenchement est l'émotion de la honte, de la culpabilité, du rejet, de l'abandon, de la rigidité...

Que ressentez-vous physiquement?

Exemple : Je n'ai plus d'énergie, j'ai mal au cœur, j'ai le goût de dormir, j'ai une boule dans l'estomac, j'ai mal à la tête...

À quoi pensez-vous?

Exemple : Je suis un idiot, je suis incapable...

Quelle est la pire chose qui pourrait arriver?

Exemple : Mourir, je pourrais finir ma vie seul(e)...

Vous venez d'identifier vos malaises et de regarder vos peurs en face plutôt que de vous sauver. Cela exige de prendre un temps d'arrêt pour vous accueillir ou de consulter pour guérir de ces malaises qui vous empêchent de créer l'abondance et la prospérité. Il est important de trouver un moyen pour ne plus rester isolé si vous avez de la difficulté à vous accueillir.

Maintenant, quelle est la meilleure chose qui pourrait m'arriver?

Exemple : Vivre l'amour, l'abondance, la prospérité, voyager, vivre en amour avec mon conjoint ....

Quelles sont les affirmations positives qui peuvent vous aider à réaliser votre rêve?

Je suis courage, persévérance, confiance, amour, compétence.

Je réalise mon rêve.......... facilement, simplement, de façon saine et positive.

C'est une façon simple et facile, mais qui demande de prendre du temps.

Une occasion favorable se cache derrière chaque expérience.

Comment profiter de cette expérience?

Soyez responsable de vous regarder intérieurement et faites de nouveaux choix.

Laissez votre génie briller en vous.

Méditez et demandez d'être éclairé.

Appliquer ceci dans votre vie : aimer, servir et ne pas oublier d'aimer et de servir.

Avec l'importance que vous accorderez à l'amour, vous deviendrez le messager de l'humanité. Les gens ignorent l'importance de ce pouvoir, mais vous, vous avez un des moyens les plus simples qui soient.

Alors quel est votre projet?

Témoignage de Stéphane Bellehumeur

En juillet 2010, j'ai fait une tentative de suicide, car j'en avais assez d'avoir mal. J'en avais assez de cette solitude qui me pesait depuis si longtemps.

La solitude avait toujours fait partie de ma vie. D'aussi loin que je me souvienne, mes parents n'avaient pas d'amis. Il faut dire que le caractère particulier de mon père faisait fuir tout le monde.

Au collège, j'étais l'objet de nombreuses et cruelles moqueries, de bien vilaines méchancetés. Durant ma vie adulte, je n'ai eu que bien peu de succès auprès des femmes, le célibat me collant à la peau comme une sangsue tenace. Sans entrer dans les détails, disons simplement que j'étais très malheureux.

Puis, un jour, j'ai décidé de quitter ce monde dans l'espoir d'une vie meilleure dans l'au-delà. Deux policiers m'ont porté secours et m'ont conduit aux urgences de l'hôpital de Hull où j'ai rencontré deux compatissantes demoiselles du service d'intervention qui ont su m'écouter avec respect.

J'ai obtenu le maximum de jours de congé au travail et j'ai été suivi par un psychologue durant l'été. Le service d'intervention a gardé contact avec moi et nous discutions au téléphone de temps à autre. On m'avait aussi conseillé de prendre contact avec d'autres organismes, mais durant l'été, peu d'entre eux étaient en fonction. Intolérable! La saison estivale n'est pas un bon moment pour être en détresse, semble-t-il.

À cette époque, j'étais abonné à un club d'entraînement sportif de la région. Même si j'allais mieux, tout n'était pas réglé, puisque je n'avais pas reçu toute l'aide dont j'avais besoin. Une employée m'a alors suggéré de suivre une formation en croissance personnelle, une démarche qui l'avait beaucoup aidée. J'ai donc suivi son conseil et c'est la leçon de vie que j'en ai tirée que je veux partager avec vous.

J'ai compris qu'il faut être heureux pour soi, d'abord et avant tout. Il faut cesser d'attendre après les autres pour obtenir le bonheur. J'aurais tant aimé avoir compris cela plus tôt. Depuis cette période, je m'aime moi, mais pour y arriver, j'ai dû me questionner pour savoir ce qui me rendait heureux et ce que je souhaitais vraiment. J'ai constaté que je m'ennuyais de l'ancien Stéphane, à une époque où j'allais mieux. Avec le temps, il y avait certains aspects de moi que j'avais délaissés pour diverses raisons. J'ai donc laissé repousser mes cheveux, car je m'ennuyais de mon ancien style et je me suis remis à l'écriture, une vieille passion oubliée.

J'ai aussi commencé à aller au restaurant et au cinéma seul. Je ne l'étais qu'en apparence, car dans les faits, j'y allais avec la personne la plus importante au monde : moi-même. En faisant ce qui me tenait à cœur sans attendre qui que ce soit, j'ai trouvé mon bonheur et ma paix intérieure.

Contre toute attente, ma conjointe, Céline, a fait son entrée dans ma vie. Quel paradoxe intéressant : j'avais trouvé la perle rare alors que je ne la cherchais plus. J'avais trouvé celle que j'avais attendue toute ma vie. Pour trouver le bonheur, j'avais eu besoin de comprendre certaines choses et, depuis ce jour, tout va beaucoup mieux dans ma vie.

Puissiez-vous trouver votre propre bonheur, quel qu'il soit.

Témoignage de Julie Villeneuve

Je suis issue d'une famille de cinq enfants, la troisième, après deux garçons. Depuis ma tendre enfance, j'ai un sentiment d'insécurité énorme qui m'habite, puisque j'ai été victime de violence verbale, corporelle et sexuelle. J'ai donc amorcé l'adolescence avec un bagage trop rempli.

À mon arrivée au collège, les choses ne se sont pas améliorées, bien au contraire. J'étais plutôt garçon manqué, sans maquillage ni vêtements dernier cri. J'ai vite perdu tout intérêt pour l'école, concentrant plutôt mon énergie à me faire expulser à répétition. De toute façon, l'intimidation était trop forte. À cette époque, j'avais déjà un travail à temps partiel pour payer mes études et une allocation de mes parents. Âgée de 15 ans, j'ai donc décidé que les études n'avaient plus d'importance dans ma vie.

L'intimidation a toujours fait partie intégrante de ma vie jusqu'au jour où j'ai compris que je devais me construire une image qui plairait aux autres. J'ai travaillé sans arrêt pour me refaire une garde-robe, tout en cherchant l'amour de mon entourage. Naïvement, je croyais que les gens m'aimeraient pour cette nouvelle image plutôt que pour celle que j'étais.

Tout au long de ma quête, je me suis fait souffrir, accumulant les échecs, les déceptions et les rejets. J'ai tenté de mettre fin à mes jours parce que, selon moi, la vie ne valait pas la peine d'être vécue. Je souffrais constamment des choix et des décisions que je prenais. J'étais donc devenue une victime des autres et de moi-même.

À 17 ans, j'ai trouvé une solution permanente à mon manque d'amour. J'ai donné naissance à une petite fille de quatre kilos. Elle comblerait alors le vide intérieur qui m'habitait depuis l'être. J'ai tenté de lui donner tout ce qui m'avait manqué dans ma vie d'enfant. J'ai voulu refaire le passé avec le futur.

J'ai eu une petite famille et quand mes enfants ont commencé l'école, je me suis retrouvée dépourvue de moyens. J'ai donc décidé, par amour pour eux, de faire un retour aux études à temps partiel. Par la suite, j'ai commencé un cours en secrétariat qui s'est avéré être un parcours ardu. Ayant peu de confiance en moi, je remettais sans cesse mes choix en question, ainsi que moi-même. Un jour, une dame est venue me parler de croissance personnelle et de ce que cette démarche lui avait apporté dans sa vie. Sans plus attendre, je me suis retrouvée à participer à des ateliers pour mieux me comprendre.

J'ai beaucoup appris sur moi et mes blessures passées. J'ai appris à me donner de l'importance en tant qu'être humain. C'est ce qui m'a permis de finir pour la première fois ce que j'avais commencé : mon cours en secrétariat. Je n'avais pas abandonné et je ne m'étais pas abandonnée. Au cours de cette année, je me choisissais de plus en plus. J'ai mis fin à une relation amoureuse qui s'avérait toxique pour moi et mes enfants au risque de les perdre et de tout perdre. Je suis allée au fond de ce que je désirais le plus au monde : CHANGER MA VIE. Me donner la chance d'un nouveau départ.

Peu de temps après, je me suis trouvé un travail de secrétaire. J'étais sur un nuage, j'allais devenir un modèle pour mes enfants. J'adorais mon travail, j'étais épanouie jusqu'au jour où j'ai senti que certaines personnes s'acharnaient sur moi. Leur attitude réveillait certaines blessures du passé et comme j'étais incapable de mettre des mots sur ce que je ressentais, j'ai fait exactement comme à la petite école : j'ai pris la fuite. J'ai tenté de faire ma place dans un autre environnement de travail, mais sans succès.

Après dix-huit mois passés à me chercher et à souffrir de dépression, j'ai pris la décision de participer à nouveau à des ateliers de croissance personnelle qui ont été le déclencheur de mon éveil à tous les niveaux. Je prenais conscience de mes erreurs, de mes faiblesses, de mes capacités, de mes forces et de tout ce que j'avais accompli durant mon cheminement. Tout n'était plus noir ou blanc, il y avait aussi des zones grises.

Je me suis investie avec ardeur, vidant le sac que je traînais depuis plusieurs années. Je n'avais qu'une seule idée en tête : repartir avec une paix intérieure et l'entretenir. La maison de mon intérieur venait de subir une cure de rajeunissement. J'étais prête à me dépasser, j'avais découvert que, derrière toutes mes blessures, se cachait une très bonne personne. Je me suis mise à croire en moi, en mon potentiel et en ma réussite.

J'ai également fait la connaissance de mon enfant intérieur, celui que j'évitais de voir, car je l'associais à la souffrance. Une chose que j'avais acquise au fil des ans consistait à reconnaître que j'étais une maman qui donnait le meilleur d'elle-même par amour pour ses enfants. Alors, j'ai eu la conviction que je pouvais devenir le parent de mon enfant intérieur.

Pour la première fois, je me donnais de l'importance à moi, à mon être, à celle que j'étais devenue. Je prenais conscience de ma nature profonde. Je m'apprêtais à faire la plus belle rencontre au monde : la mienne. Le vide que j'avais toujours ressenti s'effaçait peu à peu. J'ai commencé à m'aimer, à m'accepter avec mes qualités et mes défauts, plutôt que de me rejeter sans arrêt. J'avais pris la décision de faire les choses pour moi et non pour faire plaisir aux autres.

Le fait de déprogrammer mon être s'est avéré révélateur pour croire en mon potentiel de réussite. C'était primordial de faire la paix avec mon passé. Je me suis donc inscrite à l'école pour étudier en comptabilité.

Je suis concentrée sur l'objectif à atteindre et, peu importe les obstacles que je rencontrerai, je suis convaincue de ma réussite. Je ne laisse plus la peur m'envahir et me freiner dans la poursuite de mon objectif. Malgré les échecs scolaires que j'ai accumulés dans le passé, je persévère. Je remplis mon quotidien de positif, ce qui me permet de nourrir l'être tant meurtri par la vie et de cicatriser mes blessures du passé, une à la fois.

L'enthousiasme

L'enthousiasme , un mot puissant, un mot qui peut transformer votre vie, un mot qui demande un temps de réflexion pour en connaître la richesse.

À cette étape de votre lecture, pourriez-vous identifier un moment de votre vie où vous avez été enthousiaste dans une expérience?

L'enthousiasme plonge droit au cœur lorsque nous prenons le temps de bien percevoir sa richesse. Notre projet commun a été tellement inspirant et enrichissant en termes de valeurs liées à la foi, à la spiritualité, au soutien de chacun. C'est dans ces moments que le mot *enthousiasme* prend toute sa force et sa couleur.

Chaque personne a raconté ses dépassements après avoir vécu une journée de cheminement personnel. L'enthousiasme et la façon dont chacun les raconte sont tellement contagieux que nous avons envie de nous dépasser à notre tour.

L'enthousiasme est dans la façon dont nous racontons nos histoires, nos expériences, les dépassements qui nous ont émerveillés. Trop de gens se privent de ce mot puissant. L'enthousiasme démontre votre passion quand vous parlez de vos projets. Exprimer une émotion d'enthousiasme donne le goût d'être écouté, d'en savoir plus. L'enthousiasme se cultive aussi dans notre discours intérieur : soyez enthousiaste dans votre vie de couple, votre vie familiale, à votre travail et avec vos amis.

Une richesse à ne plus ignorer

Prenez une feuille de papier et un stylo et écrivez le mot *enthousiasme*. Placez ce mot à un endroit où vous pourrez le voir le plus souvent possible pour améliorer votre vie. Vous verrez comment un petit mot peut faire une très grande différence dans votre vie.

Bien sûr, nos intuitions ont été la clé de la réussite de ce projet d'écriture, mais si l'enthousiasme avait manqué dans la présentation du projet pour convaincre ces gens extraordinaires de participer, je ne crois pas qu'ils auraient pris la décision d'adhérer à l'idée. C'est un mot qui fait partie de mon vocabulaire dès que j'ai la chance de m'exprimer.

Imaginez-vous racontant une expérience difficile pour vous, mais en le faisant en chantant. Vous verriez l'humour s'installer assez rapidement. Imaginez-vous chantant des reproches à votre conjoint : « Chéri, tu m'énerves quand tu agis ainsi! Tu déclenches ma colère! La la la la! » Vous éclateriez de rire et la situation serait dédramatisée instantanément.

L'enthousiasme est synonyme de passion. N'ignorez plus la richesse de ce mot puissant qui peut transformer votre vie au quotidien.

Témoignage de Claire Courchesne

Par un beau matin de septembre 1944, dans le petit village de Noëlville, naissait une magnifique petite fille nommée Claire Roy. C'était le début d'une grande aventure.

La maison familiale

J'ai grandi dans une famille de cinq enfants : mon grand frère protecteur, Hector, suivi d'Alexina, moi, Aline et Marie-Rose. Ensemble, nous aimions vivre toutes sortes d'expériences et d'aventures. Notre maison familiale était située à la campagne. Ainsi, lorsque j'ai commencé l'école, il me fallait marcher plus d'un kilomètre et demi pour m'y rendre. Ce n'était pas une chose facile pour une petite fille, surtout l'hiver, car les chemins n'étaient pas déneigés. Mon frère Hector me tenait la main afin que je puisse avancer dans la neige.

L'apprentissage de la discipline

J'ai grandi sur une ferme laitière et mes parents possédaient et exploitaient aussi une érablière sur cette même terre. C'est ainsi qu'à l'âge de 9 ans, j'ai commencé à faire la traite des vaches, les travaux de la ferme et la récolte des produits de l'érable. Ce n'était pas chose facile pour une petite fille d'un si jeune âge d'avoir à se lever très tôt tous les matins.

Dans notre famille, la spiritualité occupait une place importante. Aller à la messe le dimanche, demander pardon, faire la prière aux repas et au coucher étaient des pratiques courantes. J'ai ainsi démarré ma vie avec une fondation solide : discipline, travail, spiritualité et amour. Cependant, pour notre famille, c'était difficile financièrement et l'argent était dur à gagner.

Je me suis mariée le 24 juillet 1965 et nous avons dû déménager peu de temps après, car mon mari avait été transféré, ce qui s'est produit onze fois par la suite. Tous ces déménagements avaient graduellement habitué nos enfants à s'adapter aux changements dans la vie.

Je fonde une famille

En mars 1968, je donnais naissance à notre premier fils, Denis, et 5 ans et demi plus tard, en septembre 1973, à notre deuxième fils, Stéphane qui viennent de fonder une entreprise en relation avec le développement immobilier. Quelle fierté !

La résilience

En janvier 1975, ma mère est décédée d'un cancer un mois après son diagnostic. Ce fut un choc pour toute la famille. Personne n'était préparé. Par conséquent, la mort de ma mère m'a permis de prendre conscience, à un jeune âge, à quel point la vie était fragile. Mon père nous a quittés le 2 janvier 1988, après avoir célébré le Jour de l'An avec ses enfants et petits-enfants. J'ai bien accepté sa mort, car j'avais bien profité de sa présence durant toutes ces années.

Une nouvelle carrière

En septembre 1979, j'ai décidé de m'inscrire à une formation pour devenir agent immobilier. En fait, c'est mon conjoint qui m'avait donné la piqûre en étudiant dans le domaine avant d'être transféré pour son travail. C'était moins facile pour une femme d'y percer à cette époque. C'est ainsi que le 1er décembre 1979, je devenais l'une des rares femmes à faire carrière dans cette profession où j'ai œuvré jusqu'à notre mutation vers une autre ville. Par la suite, mon conjoint a poursuivi sa carrière d'homme d'affaires. Les années ont passé et, en 1997, il a repris ses études pour obtenir sa licence d'agent immobilier. Au même moment, mon plus jeune fils arrivait à un moment décisif de sa vie où, après avoir dirigé sa propre entreprise, une carrière en immobilier devenait un défi incontournable qui le propulserait vers de nouveaux sommets. C'est ainsi que nous avons formé une association familiale exceptionnelle. J'œuvre dans le domaine immobilier depuis 35 cinq ans et j'aime encore beaucoup ce métier que j'ai choisi. J'aime le contact avec les gens.

Ma passion : le développement personnel

Les formations et les cours m'ont toujours intéressée, car j'aime apprendre et découvrir. Je suis attirée par les relations humaines, le pouvoir caché et le potentiel qui sommeillent en chacun de nous. Dans les années '80, j'ai donc lu de nombreux ouvrages rédigés par le Dr Joseph Murphy : *La puissance du subconscient*, *La prière guérit* ainsi que de nombreux autres livres. J'ai ensuite commencé à suivre des cours en relations humaines, à pratiquer la méditation transcendantale et à me questionner sur notre pouvoir intérieur.

Plus tard, j'ai suivi un cours sur la gestion de la pensée, ce qui m'a vraiment renseignée sur la croissance personnelle. C'était encore plus que de la pensée positive. J'ai pris conscience que les mots ou les pensées que nous entretenons créent, en quelque sorte, les situations de notre vie, qu'elles soient positives ou négatives. J'ai également appris à me fixer des objectifs et à considérer la vie sous un nouvel angle.

Ensuite, j'ai assisté à une séance sur la biologie totale basée sur les recherches du Dr Hammer, ce qui m'a amenée à comprendre plus en profondeur le fonctionnement de notre cerveau et de notre corps. Chaque pensée, chaque parole ont un impact sur notre corps et notre vie. Si notre corps peut se créer une maladie et l'entretenir, il a aussi le pouvoir de la guérir. Ce fut toute une révélation pour moi.

Puis, j'ai suivi une formation de deux ans en synergie harmonique. Cela comprenait l'utilisation de l'antenne de Letcher, l'harmonie énergétique, la géobiologie et le feng shui. Ce fut pour moi un tremplin en croissance personnelle. Ouf, quelle belle expérience !

Un voyage initiatique

Par la suite, j'ai fait un voyage en Égypte où j'ai vécu des expériences spirituelles en visitant la vallée des rois, les temples, les grottes et le mont Sinaï. J'en suis revenue transformée, enrichie et encore plus épanouie.

Un moment décisif dans ma vie

Récemment, j'ai commencé à assister à des conférences de croissance personnelle et, comme je constatais des changements intéressants qui s'opéraient en moi, j'ai décidé de poursuivre ma formation. WOW! Quelle renaissance! En apprenant la mise sur pied de ce projet d'écriture, ma petite voix intérieure a instantanément accepté. Je me suis dit que jamais je ne l'aurais fait toute seule. Quelle richesse nous avons développée tous ensemble! Nous étions comme une famille.

Je me sens tellement bien maintenant et je constate énormément de changements en moi. Dans ce projet, il nous a fallu naviguer vers l'inconnu : le dépassement de soi! En effet, mes dépassements ont été nombreux et je continue à cheminer dans cette voie. Le fait de se dépasser à l'intérieur d'un groupe entraîne des résultats beaucoup plus rapides.

Témoignage de Suzanne Coulombe

J'ai commencé à m'intéresser à la croissance personnelle lors d'un atelier que deux amis m'ont offert en cadeau. C'est le plus beau présent qu'ils pouvaient me faire. Quelles émotions j'y ai vécues! Je dois avouer que je m'y rendais avec la peur au ventre, car je savais très bien qu'on aborderait des aspects de ma vie que je préférais laisser dans l'ombre, par crainte de réveiller des souffrances enfouies. Mais cette formation m'a appris, entre autres, que les épreuves ont été mises sur notre chemin pour nous faire grandir et apprendre de nos expériences. J'ai pris conscience qu'elles m'avaient rendue plus forte malgré tout, mais qu'elles m'avaient surtout appris à pardonner aux autres et à moi-même afin de voyager plus léger, comme le dit notre *coach*.

À ce moment-là, je vivais un grand deuil depuis un an. L'homme avec qui je partageais ma vie depuis plus de vingt-neuf ans a décidé que nos chemins devaient se séparer et que je devais continuer mon chemin sans lui. Comme il me le confiait dans sa lettre, il ne m'aimait plus, mais n'avait personne d'autre dans sa vie. Il n'était pas heureux, il trouvait que la vie passait trop vite, que nous ne vivions pas sur la même planète et qu'il devait foncer vers ce que la vie avait de mieux à lui offrir. J'ai eu le coeur brisé en mille miettes. Comme je suis une personne qui respecte la décision des autres et leurs choix, j'ai donc accepté sa décision et je suis partie.

J'ai vécu dans l'incompréhension, le questionnement et la culpabilité, car il ne m'avait jamais laissé voir quoi que ce soit sur ce qu'il ressentait à mon égard ou vivait. C'était le noir total dans ma tête, surtout lorsqu'il en a fait l'annonce sur les réseaux sociaux deux jours plus tard. Il disait qu'on se laissait d'un commun accord. Suite aux messages de sympathie des amies et de la famille proche, je n'ai pas eu d'autre choix que d'entretenir le même discours que lui. Je me demandais pourquoi il avait fait cela sans m'en parler...

J'ai compris quelques mois plus tard, lorsque j'ai appris avec qui il partageait sa vie. À ce moment-là, j'ai vécu une autre période difficile. J'ai ressenti de l'humiliation, de la trahison, de l'injustice, mais surtout de la colère. Je voulais à tout prix que la vérité soit rétablie, car pour moi, l'honnêteté et la franchise sont des valeurs primordiales.

Cela a fait ressurgir en moi des périodes de mon enfance que je croyais avoir oubliées à jamais. J'avais vécu l'inceste entre l'âge de quatre et huit ans, une période très difficile de ma vie. Je me revoyais, petite fille honteuse, vivant dans l'insécurité et la peur de me retrouver seule Lorsque mes sœurs aînées se levaient le matin pour aller à l'école, je me levais en même temps, car je voulais y aller aussi. Je ne voulais pas rester seule, car je savais qu'il abuserait encore de moi. Lorsque j'en ai parlé à ma mère, elle m'a dit que je rêvais, que ce n'était pas vrai et qu'il ne fallait pas dire des mensonges. Je lui ai crié que c'était la vérité, mais elle ne m'a pas crue. Alors, en moi ont germé des sentiments de colère, de trahison, de rejet et je me suis juré que j'allais toujours croire les aveux qu'on me ferait en dénonçant l'inceste ou la violence : je ne jouerais pas à l'autruche. Jusqu'à l'âge de 13 ans, j'étais renfermée sur moi-même, vivant dans la honte des sentiments que l'inceste me faisait vivre et aussi dans la gêne à l'égard de mon père, cet homme alcoolique et violent.

Jeune adulte, je sortais tous les soirs avec mon groupe d'amis et on allait danser dans les bars. Je dois avouer que j'avais un gros penchant pour l'alcool. J'ai aussi expérimenté la drogue pour faire comme les autres, mais je n'ai pas aimé l'expérience, alors j'ai cessé d'en consommer. Par contre, je n'ai pas arrêté de boire. Je vivais à cent milles à l'heure, je ne dormais que quatre à cinq heures par nuit, je me levais le lendemain pour le travail et, le soir, la fête recommençait. Je vivais des aventures d'un soir ou de courtes liaisons sans attachement. J'avais vécu une grande peine d'amour à l'âge de quinze ans, je ne voulais plus avoir mal.

À l'âge de 20 ans, je suis allée vivre en appartement avec l'une de mes sœurs de sept ans mon aînée. Elle lisait beaucoup sur la spiritualité et la psychologie et j'ai commencé à m'y intéresser également. Mon livre préféré était, et reste encore : *Exploitez la puissance de votre subconscient,* écrit par le Dr Joseph Murphy. Ce livre a été pour moi un outil de référence quant à la vie que je menais : il m'a fait prendre conscience de ce que je voulais être et faire de ma vie. J'ai appris à avoir beaucoup d'empathie, de respect, de compassion et d'amour pour les personnes qui m'entouraient. J'étais plus à l'écoute des autres et aussi à l'écoute de ce que je désirais obtenir de la vie. Je voulais avoir un conjoint, des enfants ainsi qu'une belle famille où l'amour, la compréhension et le respect feraient partie de nos valeurs.

J'ai rencontré cet homme et, à l'âge de 24 ans, je quittais ma petite ville de la région de l'Abitibi pour venir le rejoindre dans l'Outaouais, où il vivait avec sa famille. Elle était formée de gens extraordinaires possédant les valeurs auxquelles je rêvais, et même plus. Pour eux, les rencontres familiales avaient une place importante. J'étais donc accueillie dans une belle et grande famille où mon intégration a été très facile. Je les ai tous aimés dès la première rencontre et ce fut réciproque. Nous nous sommes mariés deux ans plus tard, mais la vie a fait en sorte que nous n'avons pas pu avoir d'enfants, mais nous avons eu la chance d'aimer ceux de nos familles. Les premières années n'ont pas été faciles quant au plan financier, mais au fil du temps, nous avons travaillé fort et nous nous sommes construit une belle vie.

Mon conjoint était un homme plein de projets et de passions que j'ai toujours suivi et épaulé dans ses projets. Par la suite est venue pour lui la passion de l'escalade en montagnes. Pour moi, un tel sport comportant autant de risques m'inquiétait, mais j'ai continué de l'encourager dans sa nouvelle passion. C'est à ce moment que tout a changé. Il aurait souhaité que je partage sa passion; même s'il ne me le disait pas, je le sentais.

Un an et demi après notre séparation, j'ai compris que cela ne sert à rien de vouloir à tout prix rétablir la vérité, car de toute façon, tous mes proches la connaissent. J'ai décidé de lâcher prise, car cela ne m'apporte rien de bon de vivre avec des sentiments de colère, de ressentiment et de rancœur. Cela ne blesse que moi, personne d'autre. D'ailleurs, je lui ai fait parvenir une lettre de pardon dans laquelle je lui explique mon cheminement. Le fait de lui pardonner ne signifie pas excuser son geste ni les blessures infligées, ni le fait d'avoir un lien affectif avec la personne à qui j'offre mon pardon. C'est plutôt pour lui souhaiter toutes les bonnes choses que la vie peut lui offrir, d'être heureux comme il le souhaite et, qu'un jour, il trouve ce qu'il a toujours cherché, et cela du plus profond de mon cœur.

Dans mes séminaires de formation, j'ai pris conscience que la personne la plus importante qui soit au monde, c'est MOI et j'ai décidé de me choisir. Le pardon que j'accorde à d'autres et à moi-même m'apporte une grande paix intérieure et la sérénité pour continuer ma route en croyant que tout est possible. Une vie qui, je sais, sera remplie d'amour et de belles expériences qui continueront à me faire grandir et aimer la vie à sa juste valeur. Car l'amour, c'est tout comprendre. C'est à moi de faire le premier pas sur le chemin du bonheur et de décider en quoi consistera ma vie. Je dois arrêter de vivre comme une victime et créer ma vie comme je désire qu'elle soit, et cela, un pas à la fois. Même si cela n'est pas toujours facile, il y a toujours une lumière au bout du tunnel.

CROIRE

Comment arriver à croire en soi malgré les traumatismes et les expériences de la vie infligés par la perte d'un être cher? Comment croire en soi après avoir perdu son amoureux et le projet de vie que nous avions imaginé? Comment croire en soi avec toute la souffrance qui se vit autour de nous, les jugements des autres, les guerres religieuses, les terroristes qui proclament la justice par la violence? Comment croire en soi, malgré toutes les peurs qui habitent notre âme au quotidien et qui paralysent notre créativité?

Tout réside dans le pardon, le pouvoir le plus puissant qui soit, mais qui est peu pratiqué. Pour croire en soi, il faut commencer par pardonner à vos blessures, à vos traumatismes, à vos expériences de vie qui vous ont fait souffrir jusqu'à maintenant; pardonner à vos échecs et vous pardonner à vous-même.

Pardonner, c'est vouloir renoncer à la souffrance, à la violence, à la peur, à la honte, à la culpabilité, à l'infériorité, et cela, pour faire de la place à votre spiritualité. Croire en soi, c'est se faire confiance et, pour arriver à être dans votre pleine puissance, vous devez croire en une force supérieure, en vos intuitions qui sont au service de votre cœur. Si vous vous laissez diriger par votre tête, votre rationnel, vous pourriez ne pas être dans la pleine puissance de votre créativité. Dieu est votre Source, alors croyez en cette énergie pour aller au plus profond de votre créativité et vivre la magie de croire en soi qui engendre le bonheur au quotidien. Bien sûr, ce n'est pas facile, car l'être humain cherche le confort et se complait parfois dans sa souffrance. Il devient rigide et répète les mêmes scénarios.

Est-ce que vous croyez que les 32 auteurs de ce livre ont seulement décidé d'écrire une petite partie de leur parcours de vie? Certainement pas! Ils ont entrepris un cheminement personnel pour arriver à croire en eux. Ce livre n'est qu'un contexte, un prétexte pour affronter leurs souffrances, et c'est ce qu'ils ont tous réussi à faire avec succès. Ils ne sont pas parfaits, mais ils ont cru en quelque chose de plus grand qu'eux. La réussite de ce projet commun unique, conçu par les intuitions de chacun, a pu prendre forme grâce à la décision unanime de nous unir pour prendre le meilleur de chacun et donner accès à notre vécu pour le transformer en créativité. Croiriez-vous que certains d'entre eux savent à peine écrire? Mais ils ont cru en eux. L'union fait la force et nous avons dû croire en l'autre pour atteindre notre objectif.

Même si la naissance de mes deux enfants a été la création la plus extraordinaire qui soit, ce projet l'est tout autant parce qu'il m'a fait découvrir une force tellement puissante, ce Dieu qui se manifeste parce que je lui demande de m'aider à écouter mes intuitions qui jalonnent mon chemin au quotidien. Cette expérience est indescriptible. Il faut la vivre pour comprendre. Prenez le chemin de votre foi pour croire en vous, osez être le propre créateur de votre vie en croyant en cette force divine qui vous habite!

La pensée *Aimez-vous les uns les autres* résume bien l'essence de ce projet commun. C'est de l'amour inconditionnel qui nous pousse à croire en soi et en l'autre, sans jugement.

Témoignage de Julie Lahaie

Dès ma plus tendre enfance, j'étais une petite fille timide qui avait peur de tout et qui vivait une très grande insécurité. Mais, dans l'ensemble, j'ai de bons souvenirs de l'enfant qui adorait jouer avec ses poupées, à la marelle, à la corde à danser et faire du vélo. Par contre, mon côté craintif et ma timidité me nuisaient beaucoup. J'ai sucé mon pouce jusqu'à l'âge de six ou sept ans pour combler ce sentiment d'insécurité et, quand j'ai cessé cette habitude, j'ai calmé mes insécurités par la nourriture qui me procurait un sentiment de bien-être.

Enfant, j'avais tellement peur de la réaction de mes proches que je ne leur jouais aucun tour, par crainte de les blesser ou de leur faire de la peine. Quand mes parents réprimandaient mon frère, j'avais pitié de lui et je ne me sentais pas bien. J'avais peur de la fin du monde, du divorce ou de la mort de mes parents, des accidents de voiture, bref, tout était prétexte à m'angoisser.

À l'école, quand j'avais le béguin pour certains garçons, ma piètre estime personnelle me disait que je n'étais pas à la hauteur, que j'étais grosse et loin d'être quelqu'un d'admirable. Alors, je me contentais de rêver, certaine de ne pouvoir les intéresser. C'est au secondaire, à l'âge de 13 ans, que tout a changé. Je me suis mise forme, j'ai perdu du poids et j'ai connu l'amour. Mon premier amour a duré quatre ans. Puis nos routes se sont séparées pour aller étudier dans des écoles différentes où il est tombé amoureux d'une autre fille, me laissant seule avec ma peine. J'ai eu mal, j'ai pleuré toutes les larmes de mon corps et, quand les larmes ont cessé, je suis passée à la froideur, même s'il regrettait et voulait revenir. Il n'en était pas question. Pour moi, la blessure avait été trop profonde.

Seulement quelques mois après cette rupture, j'ai rencontré un homme, qui est devenu le père de mes enfants, sauf que nos cœurs ne vibraient pas au même diapason. Après vingt ans de cette relation, il ne restait plus d'amour. Il était temps de tourner la page surtout parce que nous nous étions causé beaucoup de blessures profondes. Nous avions deux beaux enfants que j'adorais et je me sentais déchirée d'avoir à leur faire vivre le cauchemar de notre séparation, l'une des angoisses de mon enfance. Les quatre longs mois de cohabitation avant mon départ ont été désastreux, empreints de paroles et de gestes blessants qui ont approfondi mon sentiment de trahison.

Suite à cette difficile transition, j'ai vécu beaucoup tristesse, de peur et une grande remise en question. Je ratissais le secteur de l'école de mes enfants, me convainquant que je pouvais m'acheter une propriété et m'en occuper toute seule. La tristesse de n'avoir mes enfants qu'une semaine sur deux me brisait le cœur. C'était le même déchirement lors de chaque départ provoquant ainsi en moi un grand sentiment d'insécurité.

Dans ce que je qualifie aujourd'hui de *mon ancienne vie,* je vivais dans l'inconscience, sans rêves, sans buts. Une amie m'a alors amenée dans une petite boutique d'anges où j'ai senti un appel incroyable, me poussant à y retourner fréquemment pour me ressourcer. Par la suite, je me suis inscrite à des cours de *reiki* et de biotransformation, où j'ai suivi les deux premiers niveaux de ces formations liées aux soins pour le transfert d'énergie. Cette approche me captive toujours, mais un jour, j'ai pris conscience que ce dont j'avais le plus besoin était en lien avec la spiritualité, avec moi-même : apprendre à me connaître et à guérir toutes mes blessures.

Depuis 2010, je me questionnais sur la nature des activités qui se déroulaient au Centre de ressourcement situé à l'étage supérieur de mon lieu de travail. Comme une connaissance fréquentait l'endroit, j'ai suivi mon intuition et j'ai décidé d'aller, comme le dit si bien le slogan du centre, *Au rendez-vous le plus important de ma vie*. Wow! Tout un rendez-vous! C'était vraiment ce qu'il me fallait pour travailler sur mes peurs et mes blessures. Depuis ce week-end de janvier 2012, j'ai fait des pas de GÉANT! Je me suis mise à rêver, chose que je n'avais jamais faite et à croire que tout était possible! J'ai osé me choisir à plusieurs reprises, comme le fait de m'acheter une voiture neuve, geste que je n'aurais jamais cru avoir le cran de poser. Je me suis fait ce grand plaisir!

Grâce à mes dépassements, ma patience, ma persévérance et surtout à une meilleure confiance en moi, j'ai finalement enclenché mon rêve d'avoir ma propre entreprise, ce qui m'a permis de relever de nouveaux défis. Mon cheminement en croissance personnelle et ce projet d'écriture m'ont stimulée à me dépasser! Plusieurs embûches se sont dressées durant ce projet. Il y avait mon travail pour mon entreprise, les ajustements, la persévérance pour atteindre les objectifs de notre projet d'écriture. Mais j'ai toujours eu la certitude que j'y arriverais. Je suis convaincue maintenant que ce n'est que le début de mes dépassements personnels et professionnels.

Ce projet d'écriture m'a motivée au dépassement comme personne ne peut se l'imaginer. J'ai eu la chance de rencontrer des gens extraordinaires avec qui j'ai tissé des liens incroyables; des gens de cœur, de profondeur qui ne m'ont jamais laissé tomber, même dans les pires moments. J'y ai fait plusieurs prises de conscience qui m'ont fait grandir énormément. Le livre de Lise Bourbeau, *Les cinq blessures qui empêchent d'être soi-même,* m'a grandement inspirée, car il traite de sujets permettant de guérir les blessures profondes de notre vie. Grâce à un coéquipier du projet d'écriture, je reprends goût, mais surtout, confiance en moi pour me remettre à mes soins énergétiques. Je constate que cette approche me passionne, que mon pouvoir est sans fin et je compte l'expérimenter au maximum afin d'aider autrui dans leur guérison.

Lors d'un autre atelier de croissance, j'ai pris conscience de ma faible estime personnelle, de la vision que j'avais de moi en me regardant dans un miroir, celle de ne pas aimer ce que je voyais. Par la suite, je suis allée en thérapie suivre la formation qui se nomme *Zéro limite*. Je suis fière des pas que je fais pour m'aimer et m'accepter telle que je suis au lieu de me frapper sur la tête à tout moment. Je peux vous assurer que je m'aime davantage. Je suis consciente de tout mon pouvoir et j'assume de plus en plus mes valeurs en décidant de vivre pour moi et pour mon bonheur, ce qui contribue directement au bien-être de mon entourage. Grâce à ce cheminement, j'ai rencontré un homme avec qui je vis un amour inconditionnel. La vie est bien belle!

Avec le recul, je remercie le destin d'avoir mis une telle épreuve sur mon chemin, car elle m'a permis de grandir, de mieux me connaître et m'aimer. Je me rends compte que ma force intérieure n'a pas de limites maintenant. Ce que je veux accomplir, je peux le faire avec la persévérance et le courage de me battre pour arriver à réaliser mes rêves.

J'espère de tout mon cœur que ma DÉTERMINATION, mon COURAGE, mes DÉPASSEMENTS seront un bel exemple pour mes enfants afin qu'ils puissent foncer à leur tour jusqu'à la réalisation de leurs rêves tout au long de leur vie.

À l'avenir, je compte bien rayer les mots *PEUR, PERDRE, INSÉCURITÉ, TIMIDITÉ et MAUVAISE ESTIME DE SOI* de mon vocabulaire, donc de mon dictionnaire personnel.

Témoignage de Mélanie Charron

Avez-vous un jour manqué d'amour? Le grand, le pur, le véritable amour que nous sommes les seuls à pouvoir nous accorder? L'amour avec un grand A, l'amour de soi?

Quant à moi, c'est le grand vide. J'ai 40 ans et l'absence de mon amour de moi est toujours une grande souffrance dans ma vie.

Je suis la troisième d'une famille de quatre. J'ai deux sœurs aînées et un jeune frère. Toute petite, déjà, je voulais être aimée et aimable pour tous les gens autour de moi. L'action de faire plaisir était ma plus grande joie. Tout au long de ma vie, je me suis tournée vers les autres. S'ils étaient heureux, je l'étais aussi.

Mon papa d'amour, Jean-Claude, s'est enlevé la vie lorsque j'avais 5 ans. Vers l'âge de 10 ans, j'ai été abusée par un homme qui venait la nuit. J'essayais de faire semblant de dormir, car je ne savais pas quoi faire ni quoi penser... j'avais très peur! Puis, je suis déménagée, étape difficile pour une jeune fille aussi timide que je l'étais.

J'ai toujours eu une très faible estime personnelle. Pendant toute mon adolescence, j'ai continué à me trouver moche et différente. Je ne me suis jamais aimée. J'ai toujours existé uniquement pour les autres.

En écrivant ces mots, je prends conscience de l'ampleur de ma situation. J'aurais pu donner ma vie à quelqu'un d'autre, mais mon MOI n'a jamais eu d'importance.

Un jour, lors d'une conférence, on nous a demandé de penser à nos rêves. J'ai dû quitter avant la fin, car je ne pouvais retenir mes larmes. Un grand vide. Je ne pouvais même pas nommer un seul rêve personnel. Ils gravitaient tous autour de ma famille, rien pour moi. Cette constatation m'a bouleversée, mais j'ai continué mon chemin. Je n'ai pas pris le temps de vivre ni d'écouter ce que cette soirée avait à m'apprendre. Cela n'avait pas d'importance pour moi. Tout ce qui me concernait ne valait pas la peine d'être discuté.

À l'âge de 32 ans, je me suis séparée après 14 ans de vie commune. Je n'ai jamais vu venir le coup. L'homme de ma vie, le père de mes trois garçons, m'avait trahie. Il aimait une autre femme. Cette séparation a été un gros échec à mes yeux. C'était presque la fin du monde.

Encore une fois, je m'en suis sortie assez bien, malgré la douleur, malgré l'échec de mon idéal familial qui était réduit en miettes et l'adaptation difficile d'une garde partagée avec des enfants en bas âge.

La vie me permettait de goûter pour la première fois à une sorte de liberté personnelle, moi qui avais toujours vécu pour les autres. Quel drôle de sentiment à apprivoiser, cette nouvelle LIBERTÉ! La semaine où je n'avais pas les enfants, je faisais les travaux d'entretien de la maison afin de me consacrer entièrement à eux à leur retour. Je leur ai toujours donné tout mon temps et toute mon énergie.

Durant cette période, j'ai essayé de prendre soin de moi, mais sans succès. Je souffrais de boulimie, tout comme aujourd'hui. Je ne voulais pas m'isoler avec mon problème, je voulais aller chercher l'aide nécessaire pour m'en sortir et vivre en santé. Je n'arrive toujours pas à m'aimer comme je suis, malgré mon poids de soixante-trois kilos.

J'ai poursuivi ma route, toujours à l'écoute des besoins des autres, et surtout de ceux de mes enfants.

En juin 2012, mon frère cadet, âgé de 37 ans, a reçu un diagnostic de cancer des ganglions. J'ai eu le bonheur de partager tout mon temps libre avec lui, l'accompagnant à ses rendez-vous et à ses traitements, l'aidant à payer son loyer, etc. J'ai passé des moments précieux avec lui, comme lorsque nous étions enfants. Treize mois seulement nous séparaient et notre lien avait toujours été solide et d'une très grande importance, probablement parce que nous n'avions pas eu de père.

Le jour de sa mort, en décembre 2011, la moitié de mon être est partie avec lui. Malgré cette douloureuse épreuve, je me sens très privilégiée d'avoir partagé sa vie jusqu'à son dernier souffle, puisque j'étais à ses côtés, un privilège que la vie m'a apporté.

En juin 2012, une autre tragédie frappait à ma porte. À 18 h 40, j'ai reçu l'appel d'un inconnu disant que je devais aller chercher mes enfants dans une maison de campagne, car leur papa était tombé à l'eau et on n'arrivait pas à le retrouver. Cauchemar total... Mes enfants, témoins impuissants, avaient vu leur père mourir sous leurs yeux. Je crois sincèrement que le décès de mon petit frère, qui avait été proche d'eux, les a aidés à se préparer au décès tragique de leur père.

Je n'avais pas eu le temps de vivre et de prendre conscience de la perte de mon frère que le destin venait m'arracher le troisième homme de ma vie. Je n'ai pas baissé les bras, mes petits amours avaient besoin plus que jamais de leur maman. J'ai puisé au fond de moi une grande force et je les ai appuyés du mieux que je le pouvais, les accompagnant dans tout le processus et en allant chercher de l'aide professionnelle.

Malgré l'épreuve, je me suis engagée d'une lourde tâche, celle de gérer la succession de leur père, et cela, dans l'intérêt de mes enfants.

Maintenant que le calme aurait pu prendre une petite place dans ma vie, j'ai flanché. Je ne voulais plus être forte, je n'en étais plus capable. La colère m'habitait, je voulais m'enfuir au bout du monde. C'est en entretenant de tels sentiments qu'une bonne amie m'offre un week-end de ressourcement que j'accepte volontiers dans l'espoir de me reposer et de sortir de chez moi.

J'en ai fait des choses dans ma vie, j'ai relevé plusieurs défis, mais le défi ultime restera toujours d'être ma vedette à moi. Pour pouvoir nourrir mon être, je dois prendre le temps de m'accorder du temps. M'aimer comme j'aime les gens autour de moi. Me donner à moi-même tout cet amour que je donne si généreusement à mon entourage.

Pendant toutes ces années, j'ai banalisé tout ce que j'ai vécu. Aujourd'hui, la vie me rattrape. Je suis vide, exténuée, je n'ai plus de souffle. Je me centre moins sur les autres et leurs besoins, je n'ai même plus assez d'énergie pour vivre au quotidien. C'est maintenant que je suis perdue et je veux me découvrir, je veux connaître ce que Mélanie aime, car je ne le sais pas. Je veux me connaître, même si cet aspect me donne le vertige. Je me sens nulle comme si je ne savais rien de moi, de mes projets, de mes rêves. Ouf!!! Triste réalité? Pas du tout. Je veux retrouver la petite fille en moi et je sais qu'elle pourra me guider. J'ai confiance en elle.

Chaque jour, chaque pas en est de plus en avant. C'est ce à quoi j'aspire en continuant mon cheminement personnel. Avec mes enfants, mon nouveau conjoint et ses trois garçons, je me sens entourée d'amour. J'ai une merveilleuse famille que j'aime et que j'admire.

Avec les ambassadeurs du Centre de formation que je fréquente, je me suis trouvé une famille unique, des amitiés précieuses avec qui je marche de façon positive vers la réussite de mon propre bonheur. Je veux guérir mes blessures, j'ai confiance en moi et en la vie, je veux continuer d'évoluer.

J'ai passé ma vie à me haïr, je veux passer le reste de ma vie à apprendre à m'aimer et à m'apprécier. Je veux que mes enfants et les gens que j'aime retiennent qu'il est primordial de penser à soi. Apprendre à s'apprécier et à se reconnaître dans ses forces et faiblesses afin de guérir de ses blessures, au lieu de les refouler à l'intérieur de soi. Avoir des objectifs clairs, des buts et des rêves pour soi. Je peux prendre soin des gens que j'aime, mais je dois avant tout prendre soin de moi, me donner du temps et beaucoup d'amour.

Un jour ou l'autre, la vie nous rattrape. Certains, comme moi, ont la chance d'avoir la santé, alors pourquoi rester emmurée dans ses souffrances et se laisser mourir à petit feu? Maintenant, je veux plus que tout mordre dans ma vie et dans mon amour-propre, c'est viscéral.

J'ai le pouvoir et nous avons tous le pouvoir sur notre vie : celui de se choisir!

Moi je décide d'être mon propre guide sur ma nouvelle route. Je ne veux pas sauver le monde, je veux me récupérer et faire une différence dans ma vie.

L'IMPORTANCE

L'être humain est à la recherche constante de son importance. Tout ce qu'il entreprend comme projet, travail, bénévolat, sports, relations interpersonnelles, il en a besoin pour trouver cette reconnaissance, parfois même inconsciemment.

80% des gens recherchent cette *importance* à l'extérieur d'eux, dans le *faire* et dans les *avoirs*, ce qui engendre le découragement, car, jour après jour, ils doivent recommencer pour obtenir et maintenir cette reconnaissance. Cela devient vite épuisant et ils trouvent toutes sortes de moyens, tels l'alcool ou d'autres substances, pour fuir la réalité. Les témoignages lus jusqu'à maintenant peuvent ouvrir une piste menant à cette recherche. Les participants se sont libérés de leur vécu pour être en mesure de ressentir cette importance. Ils ont fait de la place pour l'amour de soi en se libérant par le pardon. Il est impossible de se sentir *important* sans cette libération.

Après la lecture de ce chapitre, je vous lance un défi. Je vous propose de vous observer pendant les deux prochaines semaines, avec votre famille, au travail, avec vos amis. Observez vos façons d'agir, votre façon de parler, sans rien changer pour vous sentir *important*, sinon vous retomberez rapidement dans vos patterns. Le fait de forcer un changement dans sa vie entraîne du contrôle, de la résistance et engendre un sentiment d'insécurité qui conduit à la rigidité. Votre concentration doit se situer uniquement sur le changement que vous souhaitez apporter. Vous découvrirez ainsi des merveilles en voyant les patterns que vous répétez au quotidien pour aller chercher cette importance essentielle à votre amour de soi.

Après avoir observé vos patterns, vos découvertes feront naître chez vous des sentiments tels que la honte et la culpabilité face à vos agissements. Vous irez jusqu'à entretenir un sentiment négatif à mon égard d'avoir pointé ce qui vous empêche de vous sentir important ou ce qui vous faisait croire que vous l'étiez. C'est ce qui entraînera la présence des personnages mentionnés précédemment : honte, culpabilité, etc. Vous devrez pardonner à ces découvertes, ces patterns qui vous ont amené à aller chercher de l'importance. Cela peut paraître difficile, je vous le concède, mais c'est le chemin à prendre pour guérir. C'est avec ces découvertes que vous prendrez le temps de vous choisir et de pardonner. C'est à ce moment que vous vous donnerez de l'importance, que vous ferez le choix de tout mettre de côté pour vous donner le temps de vous transformer dans l'amour de soi.

C'est le chemin que nous, les auteurs de ce livre, avons décidé de suivre depuis le début de ce projet d'écriture. Aujourd'hui, en constatant l'importance, la solidité, la force et la puissante union qui unissent ce groupe, nous prenons conscience que cette force ne provient pas du groupe, mais bien de chacun des participants qui ont nourri la force du groupe.

Vous avez ce pouvoir en vous de vous sentir important en vous libérant de votre vécu. Par la suite, vous devrez avoir de la gratitude pour votre santé, votre famille, votre maison, votre nourriture, l'eau chaude de votre bain, etc. Lorsque l'être humain tient tout cela pour acquis, comment voulez-vous qu'il se sente important? Il doit arrêter de penser à tout ce qui lui manque pour être heureux, car le manque attire le manque.

Plus vous ressentirez de gratitude pour ce que vous avez, plus vous attirerez ce dont vous avez besoin pour être dans l'amour de soi. Plus vous vous aimerez, plus vous vous sentirez important et plus vous serez heureux. Et plus vous serez heureux, plus vous vivrez le bonheur au quotidien!

Témoignage de Yoland Gaudet

C'est à l'âge de 52 ans que je peux dire qu'aujourd'hui, j'aime la personne que je suis devenue. Je tiens à souligner le rôle que ma conjointe et mes enfants ont joué, car c'est ce qui m'a aidé à devenir l'homme que je suis. J'ai basé ce témoignage sur un texte qui m'a beaucoup touché et qui provient d'une méditation que j'ai adaptée pour moi.

J'ai tissé un fil d'or entre le cœur de ma mère et moi.
J'ai tissé un fil d'or entre le cœur de mon père et moi.
Je tisse un fil d'or entre le cœur de mes enfants et moi.

Mon souhait est que seul l'amour se transmette de génération en génération.

Transmettre par écrit ce que je vis n'est pas facile alors, je ferai de mon mieux pour être le plus authentique et le plus précis.

Je suis né au Témiscamingue, plus précisément à Béarn, un village d'environ mille âmes. Je suis le 14e enfant d'une famille de 15. J'ai 9 frères et 5 sœurs. J'ai vécu une enfance pleine de rebondissements. J'étais un enfant qui déplaçait beaucoup d'air. Heureusement, mes frères et sœurs s'occupaient de moi et m'amenaient partout. Nous vivions sur une ferme, mais je n'y travaillais pas beaucoup. Par contre, je m'y suis tellement amusé à faire boire les moutons au biberon, à nourrir le bétail, à sauter dans le foin, à donner du lait chaud aux chats, à apporter le lait à la maison, etc. Je conduisais le tracteur quand on faisait les foins et j'accomplissait de petits travaux agréables qui me stimulaient beaucoup. J'ai longtemps joué à la *madame* avec mes deux sœurs qui m'en parlent encore aujourd'hui. À l'âge de 5 ans, je racontais des blagues grivoises aux gens du village. Je tiens à souligner ma reconnaissance à ma sœur, Armande, pour toutes ses petites attentions à mon égard : ma bicyclette, mes vêtements neufs à la rentrée des classes qui me donnaient une importance et une estime de moi qui ont contribué à façonner l'homme que je suis devenu. La religion était importante à cette époque et nous allions à la messe tous les dimanches avec mes parents. C'était une obligation, et j'en garde d'excellents souvenirs.

J'avais un grand intérêt pour les personnes âgées du village, aimant les rencontrer et discuter avec eux. J'avais l'impression qu'ils s'ennuyaient et j'allais leur tenir compagnie, ce qu'ils semblaient apprécier. J'ai toujours eu ce petit côté aidant et même sauveur, cela me valorisait beaucoup et me sentir important me procurait un sentiment de valorisation.

Mon adolescence s'est bien passée. J'étais un garçon qui avait un grand besoin d'amour et d'attention que je me procurais de toutes les façons. J'étais imaginatif, créatif et j'avais beaucoup d'humour. J'ai eu des amourettes, mais rien de très sérieux. Puis, à l'âge de 15 ans, j'ai rencontré Francine et notre relation n'a duré qu'un été. Quand elle y a mis fin, j'en ai été bouleversé et je me suis dit : « Si je ne peux l'aimer, alors je veux la détester, lui faire regretter de m'avoir lâché. » Quand je l'ai revue, 5 ans plus tard, un samedi soir à l'hôtel, on a discuté, on a dansé et il y a maintenant 31 ans que nous sommes ensemble et que je l'aime de plus en plus.

Je me suis marié à 21 ans alors qu'elle n'en avait que 19. Nous avons eu 2 enfants et la vie a été bonne pour nous. Pas toujours facile à comprendre, mais aujourd'hui, je suis conscient que tout ce qui est arrivé dans ma vie avait une raison d'être et c'était pour mieux avancer et m'aider à grandir.

Je n'ai pas toujours eu cette façon de penser. Aujourd'hui, je me rends compte que penser positivement et avoir de l'empathie m'aident à entretenir de meilleures relations et à prendre conscience que tout part de moi, de ma perception des autres, de la vie et de ce qui m'arrive. Je me rends responsable de la personne que je suis. Aujourd'hui, je constate que j'ai besoin de savoir d'où je viens et où je vais pour mieux vivre en paix avec moi-même et avec les autres.

J'ai entrepris ce voyage de croissance personnelle il y a presque deux ans déjà. Je me cherchais, j'étais mal dans ma peau, j'avais mal à l'âme et j'étais très déstabilisé. Ma fille m'a amené à un atelier et je n'étais pas certain d'avoir apprécié ma soirée. J'y suis retourné avec ma conjointe à quelques reprises et nous avons décidé de participer à d'autres ateliers et sessions de partage. Aujourd'hui, je peux affirmer que j'ai accompli un cheminement *extrême* depuis deux ans, et j'aime ce que je deviens. Plus je m'implique dans ma relation avec moi-même, plus je m'écoute, plus je me comprends, plus je travaille sur mes blessures, plus je me respecte, plus j'écoute, plus je comprends et plus je respecte les personnes autour de moi. Tout part de MOI.

Mes parents ont été les meilleurs parents que je pouvais avoir, mais j'ai eu besoin de revisiter mon passé pour faire la paix avec mon père et comprendre certaines choses. Aujourd'hui, je me sens en paix et je lui ai pardonné, car il m'a donné le meilleur de lui. Merci, papa, je t'aime! Ma spiritualité, mon honnêteté, mon engagement, mon amour de la vie, vous me les avez légués. Maman, lorsque je vis des choses difficiles et que j'ai des obstacles à franchir, je pense à toi. Merci, maman, je t'aime!

Le plus important aujourd'hui, c'est d'avoir fait la paix avec mon passé, de comprendre les patterns que mes parents m'ont légués, car eux aussi, les avaient hérités de leurs parents. Prendre conscience de ces patterns, en discuter avec mes enfants leur permettra peut-être de les briser pour commencer à changer les façons de faire dans l'écoute et le respect. Pour ma part, j'y travaille fort en poursuivant et en m'impliquant dans ma quête personnelle pour mieux me comprendre et comprendre mes blessures.

Suite à toute cette démarche de croissance personnelle, j'ai commencé à m'écouter et à prendre ma vie en main. J'ai arrêté de subir et je suis passé à l'action pour prendre ma place. Tout ce cheminement personnel est fascinant et tellement enrichissant. J'apprends beaucoup sur moi, sur mes blessures de trahison et d'injustice et les façons de les assumer. Je grandis de jour en jour. Je me dépasse, je prends ma place, je me pratique à dire les vraies choses dans le respect et l'authenticité. Ce n'est pas parfait, mais tellement stimulant. J'apprends à me donner de l'importance et à m'écouter de plus en plus. Plus je le fais et plus je me solidifie dans ma relation. Je me donne du temps, car je sais bien que c'est un travail qui durera jusqu'à la fin de ma vie, et cela, si je ne veux pas retomber dans mes vieilles habitudes.

En conclusion, je suis heureux de l'importance que je donne à la vie. Je prends ça au jour le jour. J'écris, je médite et je m'écoute de plus en plus. Je le fais pour moi, mais aussi pour les miens, pour devenir un meilleur être humain et être le fils dont mes parents seraient, j'en suis certain, très fiers. Je veux briser les patterns négatifs avec mes enfants.

La vie a été et continuera d'être bonne et belle pour moi. C'est ce que je me souhaite. Aujourd'hui, j'affirme haut et fort que JE SUIS UN HOMME !

Témoignage de Francine Morin

Un grand pas vers le mieux-être! Aujourd'hui, c'est une grande première pour moi. Parler de moi, de mes émotions et de mon parcours de vie, ce n'est pas évident.

Cette année, j'ai atteint l'âge respectable de 50 ans. Je dis bien l'âge respectable, car je suis la cadette d'une famille de quatre enfants et je me rends compte qu'il était difficile pour moi de prendre ma place, car j'avais l'impression (selon ma propre perception) que ce que je disais n'avait pas de grande valeur puisque j'étais la plus jeune. Je n'avais donc pas de vécu, alors qu'est-ce que j'aurais pu apporter à mes sœurs? J'aurais tellement aimé leur ressembler.

Je viens d'une bonne famille où j'ai reçu de l'amour, de l'attention et où j'ai été traitée aux petits oignons. Mon enfance, je l'ai vécue dans la ouate. Je garde de très beaux et bons souvenirs de ma jeunesse. Mes parents m'ont élevée en m'incrustant de belles valeurs et je n'ai manqué de rien.

À l'époque, notre éducation judéo-chrétienne nous incitait à faire attention à ce que les gens diraient ou à ce qu'ils penseraient. Il fallait donner aux autres avant de penser à nous, sinon nous faisions preuve d'égoïsme. Donc, j'ai beaucoup de difficulté à recevoir. Mes parents m'ont donné ce qu'ils avaient eux-mêmes reçu et ce qu'il y avait de meilleur en eux. Je n'aurais pu souhaiter avoir de meilleurs parents!

J'ai rencontré l'amour de ma vie à l'âge de 13 ans et notre relation n'a duré que le temps d'un été. Nos routes se sont recroisées cinq ans plus tard et nous nous sommes mariés et avons eu un garçon et une fille. Cette année, nous célébrerons notre trente-et-unième anniversaire de mariage. Notre fils est né cinq ans après notre mariage et notre fille, vingt-sept mois plus tard. Durant des années, j'ai accordé une très grande place à mes enfants, au détriment de notre vie de couple. Pour mon conjoint, c'était difficile à comprendre. J'avais un amour maternel très développé, voulant toujours protéger mes enfants et souhaitant ce qu'il y avait de meilleur pour eux. Mon conjoint n'avait pas à s'inquiéter, car je le faisais pour deux.

Toute ma vie, j'ai donc accordé beaucoup plus d'importance aux autres qu'à moi-même. J'avais beaucoup de difficulté à prendre ma place, ayant peur de déplaire et de ne pas être aimée.

La vie nous apporte parfois des épreuves et des événements pour nous aider à grandir, à faire des prises de conscience et tout cela, dans le but de nous améliorer. Ce fut mon cas. La vie nous offre parfois un cadeau déguisé.

Dans mon cas, je l'ai reçu il y a quelques années et j'ai cru que ma vie s'écroulait totalement. J'étais anéantie.

Pourquoi une telle épreuve dans ma vie? Pourquoi n'avais-je rien vu venir? Les années qui ont suivi ont été très difficiles, car il fallait que je pardonne et accepte cette épreuve. Je me suis sentie trahie, manipulée et j'avais honte de n'avoir pas su prévenir l'irréparable.

On dit souvent que le temps arrange les choses. C'est ce que je croyais ou, du moins, tentais de croire. Les années ont passé et j'ai décidé d'amorcer un cheminement en croissance personnelle.

Je dois avouer qu'au départ, je n'avais pas vraiment envie d'entreprendre cette démarche, mais comme mon conjoint sait être persuasif quand il le veut, j'y suis allée pour lui faire plaisir. Ouf! Quel beau cadeau je me suis offert ou plutôt, quel beau cadeau mon conjoint m'a permis de m'offrir. Moi qui étais convaincue que j'avais repris le contrôle sur ma vie, que j'avais réussi à lâcher prise sur le triste événement passé et réussi à pardonner, je me suis vite aperçue qu'il en était autrement.

Tout ce que j'avais pu faire, c'était enterrer mes blessures, les ignorer et reprendre ma vie comme si rien ne s'était passé.

Ce qui comptait pour moi, c'était le bonheur de ma famille, que tout redevienne comme avant, oublier et reprendre notre vie comme elle était. Je devais être forte en m'oubliant, en ignorant mes propres besoins et blessures, car je n'avais pas l'habitude de penser à moi.

Pour que les gens soient bien autour de moi, j'ai dû prendre conscience qu'il me fallait d'abord prendre soin de moi et de mes blessures. Si je suis heureuse, mon état se reflète automatiquement autour de moi et devient contagieux pour mon entourage.

J'ai donc appris à prendre soin de ma relation avec moi-même. Il y a plus d'une façon de voir un événement ou une situation. Il ne tient qu'à moi de regarder le tout d'une manière objective et positive, car chaque épreuve nous aide à grandir.

Lors des ateliers de formation auxquels j'ai participé, j'ai reçu des outils pour cheminer davantage et prendre soin de moi. Je constate aujourd'hui que, peu importe les moyens que je prends pour progresser, l'important consiste à ne jamais m'abandonner, et ce, peu importe les événements que la vie m'envoie.

Aujourd'hui, j'ai le bonheur plus facile et j'apprécie de plus en plus ce que la vie m'apporte. J'ai beaucoup de gratitude, j'aime la personne que je deviens.

Un ami a partagé avec moi une citation inspirante qui m'accompagne au quotidien:

Tout ce que tu fuis te suit et
ce à quoi tu fais face s'efface.

Alors maintenant, je fais face à la musique... car il s'agit là d'un sentiment tellement libérateur.

J'ai la chance d'avoir retrouvé non seulement mon conjoint, mais également mon complice, mon confident, mon amoureux et mon meilleur ami.

Merci à la vie pour tous les bienfaits qu'elle m'apporte.

LA DIGNITÉ

La dignité est une source en soi qui doit être reconnue. Les expériences souffrantes que nous vivons sont l'origine de la perte de notre dignité. Puisqu'il en est ainsi, je vous invite à boire, à vivre ces paroles, à sentir du fond de votre âme, la puissance de ce chapitre en étant conscient, lors de votre lecture, dans le *ici et maintenant*, de l'origine de vos expériences qui ont été nécessaires pour vous arrêter devant ce livre et vous laisser inspirer par le titre, la page couverture, la page arrière ou même une amie qui vous en a proposé la lecture. Peu importe la raison qui vous a incité à le tenir entre vos mains, c'est un signe très puissant pour vous conduire à reconstituer votre dignité intérieure.

Si vous avez été choisi pour être ici, sur la terre des hommes, c'est que votre dignité est toujours présente en vous. Vous n'êtes peut-être pas fier de certaines expériences, gestes ou paroles désagréables causés à un être cher, mais votre dignité n'en demeure pas moins présente en vous.

Une des expériences qui m'a fait perdre ma dignité a été la fermeture de mon épicerie. J'avais à peine 22 ans à l'ouverture de ce commerce de 325 mètres carrés, qui comprenait une boucherie et une pâtisserie. C'était ma fierté d'avoir accompli cet exploit à cet âge : dignité, respect, honneur, autant de sentiments qui définissaient ma fierté et celle de ma famille. Tous les jours, mon père était sur place pour venir m'encourager et prendre de mes nouvelles. J'étais heureux de voir la fierté briller dans ses yeux quand il me regardait. Quelle joie de sentir mon PAPA être fier de son fils, moi qui avais cherché l'amour durant toute ma vie!

Puis, un jour, le désespoir et le découragement ont frappé. Les épiceries à grande surface ouvraient leurs portes au Québec, même le dimanche et tous les jours, de 8h à 22h.

Cette nouvelle option a tué le marché des petites épiceries et j'ai du fermer les portes. À ce moment, tout ce que j'avais vécu de négatif dans mon enfance est revenu me hanter l'esprit : honte, culpabilité, humiliation, idées suicidaires reliées à un rejet de moi-même. Je replongeais dans un chemin de souffrance, car la dignité et la fierté que j'avais vécues durant la période où j'étais épicier venaient de disparaître en même temps que le regard de fierté de mon PAPA.

J'étais la honte de la famille. C'est le fardeau que je portais à l'intérieur de moi. Je n'ai jamais osé demander à mon père s'il était déçu de moi, car j'avais peur de sa réponse. C'était plus facile de refouler mes sentiments et de faire comme si tout allait bien.

Mon expérience consiste à constater que tout ce chemin que j'ai dû parcourir n'était que pour conscientiser que tous mes actes n'avaient qu'un seul objectif, celui de plaire à ma famille, à mon père. J'ai fait des culbutes toute ma vie pour remplir le vide affectif de mon enfance.

C'est très épuisant de vouloir être bon quand nous partons de l'extérieur pour remplir ce grand vide : « Regardez-moi : je suis bon, je suis capable d'être propriétaire d'une épicerie! Êtes-vous fier de moi? » Ce besoin d'obtenir l'amour de ma famille a été un chemin souffrant. Maintenant, je me pose la question : « D'où origine cette idée? Est-ce que c'est un besoin qui provient de moi ou de l'extérieur de moi? »

Nous devons prendre le temps de nous arrêter, de sentir nos besoins, nos intuitions. Nos idées doivent être écoutées pour créer notre chemin de dignité. C'est tout à notre honneur d'être fier de soi dans les petites choses du quotidien. Lisez ce chapitre et prenez le temps de vous arrêter, de faire une rétrospective de votre vie pour savoir si vous êtes à la bonne place en ce moment, si vous êtes fier de vous, si vous pouvez le ressentir avec votre cœur, si vous avez des papillons dans le ventre lorsque vous pensez à votre vie.

Vous ne devez pas chercher à vous convaincre, car ce serait vous raconter des mensonges. Être fier de soi au moment présent doit être naturel, sans forcer.

Si ce n'est pas le cas, il y a des solutions, des démarches à suivre pour arriver à sentir cette dignité qui est essentielle pour vivre notre vie dignement. La dignité est une ressource incomparable pour vous sentir important, pour sentir que vous avez du respect à votre égard quand vient le temps de prendre des décisions qui partent de vous pour créer votre vie comme vous voulez la vivre.

Voici quelques moyens pour retrouver votre dignité ou en avoir davantage pour être mieux centré dans votre foi :

> Affrontez vos peurs qui emprisonnent vos désirs.
>
> Faites preuve de courage et de persévérance dans votre démarche pour vous sentir important dans votre dignité. C'est tout à votre honneur de ne plus vous abandonner. Arrêtez de vous lâcher et de vouloir plaire aux autres pour en retour recevoir de l'amour.
>
> Tout commence par vous. L'amour que vous vous porterez comblera vos proches et votre dignité et votre fierté seront la preuve de votre épanouissement, peu importe votre passé.
>
> Pardonnez-vous de vos découvertes suite à votre rétrospective.
>
> Créez de nouvelles expériences, car elles vous permettront de grandir dans l'amour de soi.

Voici deux témoignages de gens qui ont osé se donner davantage d'importance afin de retrouver et de nourrir leur dignité personnelle.

Témoignage de Marie Josée Laflamme

Tout d'abord, je tiens à te remercier, toi, de prendre ton temps si précieux afin de lire mon témoignage de vie.

Je suis l'aînée d'une famille de trois enfants. Je suis une maman monoparentale âgée de 40 ans; j'ai deux belles grandes filles qui sont ma raison de vivre, la raison pour laquelle je suis toujours sur cette terre.

D'aussi loin que je me souvienne, mon enfance a été assez ordinaire. Ma mère était femme au foyer. Quant à mon père, il avait un horaire irrégulier à son travail. Chose certaine, j'ai toujours été en quête d'amour de mes parents. J'ai cette image qui me revient souvent en tête : mon père est couché sur le canapé et il écoute la télévision. Je n'ai aucun souvenir de voir mon père ou ma mère jouer avec moi. De plus, la communication était inexistante à la maison. Combien de fois j'aurais aimé me faire bercer, me faire raconter des histoires, me faire dorloter, cajoler et avoir de beaux entretiens avec eux!

À l'école primaire, j'étais, soi-disant, la candidate idéale pour subir du harcèlement. Comme j'étais très maigre et délicate, on en profitait pour me pousser, me frapper avec des sacs d'école, faire semblant de me pousser sur le boulevard et m'injurier. Je peux vous dire que ma confiance et mon estime personnelle étaient complètement à zéro. J'ai vécu toutes sortes d'émotions telles que la peur, la tristesse, la colère ainsi que la haine. Je me sentais tout simplement rejetée! Quel sentiment dévastateur!

Puis, à l'âge de 9 ans, à l'âge où les jeunes filles jouent à la poupée, à la corde à sauter, à la marelle, moi, je franchissais le monde des adultes, sans même en avoir conscience : j'étais victime d'abus sexuels. Cette abomination s'est produite à l'âge de 11 ans. Cependant, ce n'est qu'à 13 ans que j'ai décidé d'en discuter avec mes parents.

Encore aujourd'hui, c'est un sujet tabou dans plusieurs familles. Alors, imaginez au début des années '80. Il ne fallait pas en parler par peur de briser les liens familiaux. Dans mon cas, c'est ce qui s'est produit : une brève rencontre avec mon agresseur, les excuses faites et la vie continue. Nous n'en avons jamais reparlé. Aucune aide psychologique n'a été demandée alors que j'en aurais eu grandement besoin. Mon agresseur venait de me voler mon enfance, mon identité, et rien n'a été fait. C'est lorsque j'ai tout dévoilé à mes parents que je me suis vraiment sentie seule au monde et ma réaction a été de me renfermer sur moi-même, car je venais d'expérimenter que même si je parlais de ce qui m'avait blessée, rien ne changerait. La petite Marie a alors cessé de vivre pour elle à partir de ce moment-là!

À l'adolescence, j'avais perdu toute confiance et estime personnelle. Mon corps me dégoûtait, je me sentais sale. Je pesais à peine 40 kilos. J'ai donc décidé de prendre du poids. Je me suis donc gavée de nourriture pendant une semaine au terme de laquelle j'avais pris 5 kilos. J'étais contente, je venais de franchir le cap des 50 kilos. Toutefois, des vergetures sont apparues sur mon corps me procurant ainsi des raisons de plus de me trouver laide et de me détester davantage.

C'est à cette époque que j'ai commencé à entretenir des idées suicidaires, car je voulais tout simplement arrêter de souffrir. Personne n'a jamais été mis au courant ou ne s'est même aperçu que j'avais le mal de vivre. Un mal de vivre causé par une douleur intense au thorax. Je voulais tout simplement que quelqu'un prenne soin de moi, me prenne dans ses bras. Mais rien... et la vie a continué en ayant toujours ce même malaise.

Afin de combler mon manque affectif, je suis devenue perfectionniste, tant du côté professionnel que personnel. Plus je faisais mon travail vite et bien, plus j'aidais les gens et plus on me complimentait. Cette reconnaissance est vite devenue pour moi une forme d'amour, une façon d'attirer l'attention pour me sentir importante, ce qui remplaçait très bien l'amour paternel et maternel que je ne recevais pas. La sensation de bien-être que je ressentais était très intense. C'était un cercle vicieux qui recommençait : perfectionnisme égalait amour, ce qui m'a incitée à devenir de plus en plus exigeante envers moi-même et les gens qui m'entouraient.

Que dire de mes relations amoureuses! Elles m'ont fait souffrir également. J'ai vécu du harcèlement psychologique, des problèmes d'alcool, de jalousie; j'ai été humiliée devant les gens, j'ai été prise pour acquis, on m'a dit que si je n'étais pas heureuse, que je pouvais prendre la porte. Sans compter le nombre de fois où je suis allée vomir et pleurer en silence, la tête enfouie dans mon oreiller après une relation sexuelle; les nombreuses fois où j'ai fait semblant de jouir, tellement j'avais hâte que ça finisse parce que je me sentais sale.

Ce comportement a fait en sorte que je me suis sentie comme une moins que rien, rabaissée, humiliée, rejetée. Oui, je me suis souvent sentie comme un objet sexuel. Je n'avais plus aucune confiance en moi. J'ai eu très mal de ne pas avoir été appréciée et aimée à ma juste valeur, mais surtout de ne pas avoir été respectée. J'ai fini par faire une dépression, ce qui signifiait arrêt de travail, rencontres chez le psychologue, crises de panique, d'anxiété et prise de médication.

Plus le temps avançait, plus je sentais ce vide à l'intérieur de moi que je ne pouvais expliquer.

Puis, un jour, quelqu'un m'a parlé d'ateliers de croissance personnelle et m'a convaincue des bienfaits qu'ils pourraient m'apporter si j'arrivais à identifier l'origine de ce vide. Je suis allée à quelques rencontres, puis à des séances plus longues qui m'ont fait vivre toutes sortes d'émotions. J'y ai découvert que je vivais tout simplement pour les autres, que mon moi n'existait même pas. J'avais tellement cherché à plaire que je m'étais oubliée, moi, la personne la plus importante!

Il a fallu que je lâche prise et que je pardonne afin de voyager plus léger. Pardonner ne veut pas dire oublier, mais bien se permettre d'avancer dans la vie. J'ai retrouvé ma confiance et mon estime personnelle, quoique cela me demande de travailler sur moi chaque jour afin de ne pas retomber dans mes anciens modèles.

Aujourd'hui, je peux me trouver belle lorsque je me regarde dans un miroir. La vie me fait encore vivre des épreuves pour me prouver que non, mais j'ai accepté de ne pas être parfaite et de ne jamais l'être. Par contre, je ne veux plus m'abandonner. Je veux me respecter dans les limites que je m'autorise chaque jour. Je mets de plus en plus d'importance à vivre le moment présent et à le savourer.

Maintenant, je m'accorde le temps d'apprendre à connaître la nouvelle Marie. Chaque jour, je découvre ses goûts, ses désirs, ses rêves, et j'apprends surtout à lui donner un peu plus d'importance.

J'ai également pris conscience d'avoir blessé certaines personnes par des paroles ou des gestes, j'ai jugé et manqué de respect à plusieurs et, c'est humblemnt que je leur en demande pardon. Il est grand temps pour moi de lâcher prise envers eux, mais je veux qu'ils sachent que je serai toujours là pour eux! Je tiens à remercier tous mes proches et ceux qui m'ont tendu la main me permettant ainsi de me dépasser et de m'accorder un sentiment d'importance. Je les remercie du fond du coeur pour leur écoute si précieuse et leur authenticité.

Sache que la personne la plus importante, c'est *toi*. Il est grand temps de te choisir et d'arrêter de souffrir.

Témoignage de Lyne Pelletier

Victime d'attouchements répétés lorsque j'étais enfant, j'ai réussi à me libérer de ce fardeau. J'ai cinq ans, c'est un samedi soir, mes parents sont sortis. Notre homme à tout faire vit chez nous et nous garde, mon petit frère et moi. Il est environ minuit, je suis couchée dans ma chambre, mon petit frère dort dans la sienne. Je me réveille, j'entends le téléviseur au rez-de-chaussée. Lorsqu'il s'arrête, je sors de mon lit et me dirige vers la chambre de mon frère. Je le prends et le couche par terre devant sa porte fermée. Dans ma tête d'enfant, j'essaie d'empêcher cet homme d'aller dans la chambre de mon petit frère.

Je l'entends monter les escaliers, je sais qu'il se dirige vers ma chambre. Je me cache sous mes couvertures et fais semblant de dormir. Il s'allonge à mes côtés et soulève les couvertures. Mes jambes sont crispées et j'essaie de les fermer. Il me bécote dans le cou, je sens cette odeur dégueulasse d'alcool et de cigarette. Il parcoure mon corps avec ses mains et plus il me touche, plus mes jambes se décroisent et relaxent. Je ne déteste pas ce sentiment, car j'ignore que ce n'est pas normal. Il se lève, va à la salle de bains et disparaît jusqu'à la prochaine nuit. Un an plus tard, il a déménagé chez mes grands-parents, et sa conduite abusive s'est quand même poursuivie durant des années.

Tous les dimanches, nous assistions à la messe avant d'aller déjeuner au restaurant. Nous passions souvent l'après-midi et la soirée chez mes grands-parents. J'avais toujours hâte au dimanche. Les attouchements se poursuivaient, cachés dans une chambre. Je n'ai pas le droit de dévoiler à quiconque qu'il est mon petit copain, sinon il me laissera tomber. Je n'en parle donc pas.

À cette époque, je ne sais plus la différence entre la vérité et le mensonge, je mens pour avoir l'attention. M'étant abandonnée moi-même, j'ai des troubles de comportement.

J'ai 13 ans et je débute mon secondaire. Mes amies et moi discutons de nos petits copains et elles ne me croient pas lorsque je leur dis que le mien a une automobile, qu'il a 28 ans et que nous sommes ensemble depuis que j'ai au moins 5 ans. Pour moi, c'est une histoire d'amour et je n'en reparle plus jamais.

J'ai 15 ans et, malgré les fiançailles de mon copain, ce qui n'engendre aucune émotion chez moi, les attouchements continuent. Ce n'est qu'à l'âge de 17 ans que tout s'arrête. Il ne veut plus de moi, je me sens abandonnée, seule et remplie de culpabilité.

Je commence à fréquenter des garçons et je me marie à 23 ans, divorce l'année suivante et rencontre un homme dont je tombe amoureuse. Six mois plus tard, à l'âge de 25 ans. je tombe enceinte et accouche d'un garçon. Un mois après la naissance de notre fils, le père nous abandonne pour une autre et nous ne le reverrons jamais. Je remercie Dieu d'avoir mis cet homme sur mon chemin, car j'ai un beau et brillant garçon âgé de 24 ans.

Noël 1989, mes parents, mon fils et moi allons visiter mes grands-parents pour les fêtes. Nous sommes tous assis à la table pour le repas, environ une douzaine de personnes, lorsque l'homme à tout faire, qui a bu trop d'alcool, s'agenouille devant moi et me demande pardon de façon très théâtrale. Je lui répète : « Tais-toi! Ferme-la! ». Je pleure et je ne veux pas que ma famille le sache. Mais c'est une catastrophe. Mon père veut le battre, ma grand-mère n'en croit rien, son épouse est complètement bouleversée, tout le monde se dispute et crie. Un de mes oncles réussit à calmer mon père. Je n'en peux plus, j'habille mon bébé et crie très fort : « On part! Ça suffit! »

Cette déclaration a pour conséquence de briser les liens avec certains membres de ma famille qui m'ont blâmée, sans connaître toute l'histoire. Puis, je continue ma vie en mettant cela derrière moi. Une vingtaine d'années plus tard, ma grand-mère se meurt à l'hôpital et demande à mon père de me revoir. J'accoure sans hésiter à son chevet. Elle est tellement belle avec ses beaux grands yeux bleus brillants. Elle me demande pardon et me dit qu'elle m'aime beaucoup. Je lui réponds qu'il en est de même pour moi. Elle décède quelques jours plus tard.

Par la suite, j'ai plusieurs autres fréquentations, mais jamais rien ne fonctionne, car je ne choisis pas les bons hommes. Je suis toujours en colère, je bois de l'alcool, j'ai mal sans le savoir et je blesse les autres avec mes paroles.

En 2005, je rencontre un homme et nous prenons le temps de faire connaissance. Nous sommes toujours ensemble aujourd'hui. Je l'aime, je suis heureuse. Par contre, je continue à traîner des sentiments de rejet et de trahison.

En 2012, mon frère me conseille d'aller participer à des ateliers de croissance personnelle avec lui. C'est à cette occasion qu'il comprend la raison pour laquelle il se réveillait derrière sa porte lorsqu'il était enfant. Cet atelier commence à changer ma vie. Je change mes habitudes, j'apprends à m'aimer, à me pardonner, à ne pas juger. Je vis maintenant dans l'authenticité, je prends du temps pour moi.

Je retourne en formation avec mon conjoint et je prends conscience de la profondeur de son amour. Puis, c'est le tour de mon père. Je participe à des ateliers avec un groupe de femmes et je comprends que toutes les femmes ont des blessures qui peuvent être libérées qu'en brisant le silence. Mon conjoint participe aussi à des ateliers avec un groupe d'hommes.

Aujourd'hui, mon conjoint et moi, continuons de nous dépasser dans notre cheminement personnel. Nous nous sentons bien, nous avons de vraies discussions et nous apprécions la vie. Nous avons de nouveaux amis et nous adorons organiser des soirées.

Il était important pour moi de partager ce témoignage pour inciter d'autres femmes à arrêter de souffrir en silence. Le ressourcement personnel, c'est la clé. C'est un début vers la guérison de l'esprit.

L'EXPÉRIENCE

Sans la somme de nos expériences, la vie ne nous apporterait pas le bonheur, la joie, la tendresse, les émotions, la créativité, l'enthousiasme, la possibilité de croire en quelque chose de plus grand que soi, de se sentir important, de vivre sa dignité.

Les expériences parcourues jusqu'à maintenant ont une valeur inestimable, pourvu que vous ayez appris de l'expérience vécue. Leur richesse est très importante ainsi que la valeur dissimulée à l'intérieur de chacune. Parfois, elles constituent des cadeaux déguisés qui blessent et déclenchent de vives émotions.

Pourquoi vivre autant d'expériences qui nous font souffrir? Celles auxquelles l'être humain fait face servent à aller chercher de l'amour, du réconfort, du plaisir et de la joie; elles permettent d'avoir accès au bonheur et remplissent notre vide affectif. Si vous partez des personnages créés pour vous défendre ou de vos fausses croyances, vous risquez de vivre des expériences qui vous feront souffrir.

Comment arriver à vous sentir libre si vous ne vivez pas d'expériences? Comment vous sentir libéré si vous restez captifde votre quotidien à vous répéter que la vie est nulle? L'insécurité engourdit votre créativité et vous devenez rigide, car votre perfectionnisme prend toute la place. Vous préférez alors porter des masques et dire aux gens que tout va bien. Vous attendez que les autres vous prennent par la main et vous disent quoi faire. Sans ces expériences douloureuses, vos patterns se répèteraient sans cesse.

C'est assez! Vous devez vivre vos expériences et en tirer le maximum de valeur pour vivre le bonheur. Osez surprendre et sortir de votre timidité pour avoir envie d'expérimenter la vie. Vous mourrez un jour ou l'autre, alors réveillez-vous sans délai!

Vos choix favorisent des expériences qui peuvent vous guider et vous rapprocher de votre âme. C'est pour cela que nous devons vivre chaque jour des milliers d'expériences différentes et les assumer, même si elles ont été souffrantes. Vous êtes un être humain, alors pourquoi vous comporter comme un robot?

Il y a des gens qui meurent à 18 ans, mais qu'on enterre seulement à 90 ans! Pendant tout ce temps, ils n'ont rien accompli, ils n'ont qu'existé. Vous avez assez perdu de temps sous prétexte que certaines expériences ont été traumatisantes et souffrantes. Ce n'est pas pour autant une raison d'abandonner.

Sortez de votre victimisation et voyagez! Amusez-vous au maximum, dès maintenant! Faites les choses les plus folles pourvu qu'il y ait du respect de soi et de son prochain. La vie se nourrit d'expériences et de choix. Que voulez-vous que vos proches écrivent sur votre pierre tombale? *La vie était ennuyante...* ? C'est à vous de rédiger un nouveau chapitre de votre vie, si le dernier était monotone. Vous êtes l'artiste de votre vie, l'artisan de votre création, alors choisissez la vie au lieu d'opter pour la souffrance.

Voici 32 personnes qui ont témoigné d'expériences atroces vécues au cours de leur vie. Bien sûr, ce n'est pas toujours elles qui les avaient choisies, souvent c'était leur agresseur qui en avait décidé ainsi. En pardonnant à ces épreuves, ces gens ont cessé de reproduire les mêmes expériences, les mêmes choix imposés dans leur enfance.

Aujourd'hui, ils créent la vie qu'ils veulent vivre et ils apprennent de leurs nouvelles expériences parce qu'ils ont décidé de vivre dans l'amour et de *triper* au quotidien.

J'espère que vous aurez un jour la chance d'imiter ces gens extraordinaires qui ont décidé de vous dire : « Réveillez-vous avant qu'il ne soit trop tard! » Leur dépassement personnel les incite à vouloir vivre d'autres expériences parce qu'ils goûtent enfin à la vraie vie. Ils profitent de chaque occasion pour savourer les bienfaits de leur vécu.

Qu'attendez-vous pour vivre votre vie comme vous la rêvez? Vous êtes le seul à pouvoir réaliser vos rêves. Certes, avec de l'aide, mais cette fois-ci, en partant de vos besoins et de vos intuitions et non de votre passé.

Témoignage de Christine Fauvel

J'ai eu de la difficulté à écrire mon témoignage, car je ne savais pas quelle partie de ma vie je voulais exposer. Mon but est d'aider mon prochain à travers mon expérience. Une amie me racontait une situation qui lui faisait vivre le sentiment de ***ne pas être à la hauteur***. Lorsqu'elle a prononcé cette phrase, une sensation étrange m'est passée à travers le corps et j'ai pris conscience que cette émotion m'avait habitée une bonne partie de ma vie. Vouloir être à la hauteur m'a fait vivre beaucoup de culpabilité.

La perception de ne pas être à la hauteur m'a rendu la vie plus difficile, mais c'est moi qui ai engendré cette émotion et l'univers s'est chargé du reste. Il m'a envoyé des épreuves qui m'ont fait vivre plusieurs *tsunamis* intérieurs qui ont eu un impact sur moi et mon entourage. À moi seule, j'en aurais assez pour écrire le livre en entier... et décrire tous les événements de ma vie. D'un autre côté, je me suis rendu compte que ce ne sont pas les épreuves qui sont importantes, mais comment je les perçois.

Pendant longtemps, je me suis sentie victime par rapport aux événements que je vivais. Je me disais toujours : *Pourquoi moi? Qu'est-ce que j'ai fait pour que ça m'arrive?* Évidemment, ces événements m'ont menée à des comportements destructeurs et malsains ayant des conséquences sur tous ceux que j'aime. J'ai vécu plusieurs dépressions cycliques et je ne banalise aucune d'elles : la première dès l'âge de 7 ans, deux autres à 17 et 26 ans. Pendant que j'écris ce texte, je suis en arrêt de travail pour épuisement, pour ne pas dire dépression!

Inconsciemment, vouloir être à la hauteur de toutes les attentes est un sentiment profondément ancré en moi depuis toujours. Pourquoi? Je n'ai pas toutes les réponses et je constate que même si je les avais, elles font partie de mon passé. Je suis très consciente de l'importance de me servir de cette émotion pour grandir. Cette souffrance vécue à l'âge de 17 m'a amenée à vivre l'anorexie et la boulimie durant plusieurs années.

Être à la hauteur pour qui, pour quoi? Quelle est la véritable raison? Je crois que c'est pour être acceptée telle que je suis, être aimée et reconnue pour me sentir importante. Toutes ces raisons sont de bonnes raisons. Vouloir être à la hauteur m'a fait porter des masques très longtemps afin de ne pas perdre la face et maintenir la perception que les autres avaient de moi : une femme forte, débrouillarde, qui n'avait rien à son épreuve.

Pendant 35 ans, j'ai porté la honte de cette maladie vécue pendant mes années d'adolescence et de jeune adulte, mais je n'ai parlé ouvertement de ces comportements destructeurs que récemment, devant un groupe en croissance personnelle.

Je me suis dit : *Moi, Christine Fauvel, j'ai toujours été la femme forte, qui réussit tout ce qu'elle entreprend... Aujourd'hui, je me débarrasse de mes masques en osant dire à quel point j'ai peur d'avoir honte en dénonçant ma plus grande faiblesse.* Je prône énormément la santé et j'ai peur du jugement des gens; par contre, je sais maintenant que je suis en mesure de les aider quant à la relation qu'ils ont avec la nourriture. C'est impressionnant de voir à quel point ces événements dramatiques m'ont fait grandir et évoluer.

Comme je vous l'ai dit, je ne banalise aucun d'eux. En commençant par la mort de l'oiseau de mon grand-père lorsque j'avais 3 ans. J'ai vécu une grande culpabilité et beaucoup de tristesse, car c'est moi qui avais serré l'oiseau trop fort de peur qu'il s'envole. Malheureusement, ma peur était si grande que je l'ai étouffé avec mes mains. Les grandes périodes de bouleversement dans ma vie ont commencé à l'âge de 7 ans par un déménagement. Quitter mon village natal à un si jeune âge m'a causé tellement de peine que j'en ai fait une dépression. Comme mon père était souvent absent à cette époque, l'homme de ma vie était mon grand-père. Son décès a bouleversé ma vie et m'a enlevé tous mes repères. À l'âge de 12 ans, la perte de mon cousin que j'aimais énormément ainsi que la mort de quelques amies d'enfance m'ont révoltée. Je trouvais injuste que la mort frappe d'innocentes victimes. D'autres drames sont survenus dans ma vie telle ma première rupture amoureuse avec mon amoureux et fiancé de l'époque. Cette séparation est survenue quand j'avais 17 ans. Mon service militaire s'est terminé abruptement à l'âge de 20 ans à cause d'un mauvais diagnostic médical et c'est à cette période que j'ai tenté de me suicider. Comme si ce n'était pas assez, je suis devenue veuve à 26 ans, suite au suicide de mon premier mari, père de mes filles qui étaient alors âgées de 3 et 4 ans.

Mes filles ont été agressées pendant cette même année. La haine que je portais à l'agresseur m'a fait vivre l'enfer jusqu'à ce que je comprenne que c'était en train de me détruire. En consultant une professionnelle avec mes filles, j'ai compris que la seule façon de reprendre mon pouvoir de mère était de pardonner. En agissant ainsi, je me suis libérée. Ça n'enlève rien à l'horreur du geste, mais mon cœur ne saigne plus. La haine est une prison qui nous détruit à petit feu.

Au cours des années qui ont suivi, j'ai vécu d'autres deuils dont la mort de mon père, celle de mon beau-frère, de ma belle-sœur et de ma grande amie dont le départ subi m'a causé un grand choc.

Encore aujourd'hui, chaque fois que je passe devant sa résidence, plusieurs images me reviennent, dont notre dernier repas, notre dernière conversation et même sa dernière phrase : « *J'ai toujours peur de ne pas avoir assez de temps pour faire tout ce que je veux faire.* » Elle a finalement manqué de temps! Cette phrase est imprimée à jamais au plus profond de moi. C'est pourquoi je vis avec un sentiment d'urgence, courant continuellement.

J'ai suivi plusieurs ateliers de croissance personnelle à la suite de ces événements tragiques. Malgré toute la culpabilité vécue, cette partie de ma vie est maintenant derrière moi. J'ai réglé ce que j'avais à régler. Tous ces événements m'ont permis d'évoluer. Sans être nostalgique, je chéris maintenant cette période de ma vie, car elle m'a permis de devenir une meilleure personne. Mon comportement destructeur a été plus difficile à accepter, car j'ai gardé la honte en moi pendant si longtemps par peur d'être ridiculisée et rejetée. Je me sentais coupable, car j'avais l'impression de me trahir moi-même, de ne pas être authentique. J'ai gardé le silence sur cet aspect personnel durant plus de 35 ans.

Je peux me passer de boire, de prendre de la drogue, de fumer des cigarettes et même de sexe. Par contre, je ne peux pas me passer de nourriture, car je sais aujourd'hui que c'est vital pour ma survie. Ces comportements anorexiques et boulimiques sont destructeurs. Ils m'empêchent d'atteindre toutes les sphères de la santé : l'équilibre physique, psychique, spirituel et émotionnel. J'en parle maintenant ouvertement, car cela me permet de me libérer de cette honte que j'ai portée si longtemps. Je comprends très bien les gens qui ont un rapport destructeur ou déséquilibré avec la nourriture. Le fait de partager mes expériences me permet d'aider ceux et celles qui vivent un problème en lien avec la nourriture.

En conclusion, peu importe les épreuves ou événements vécus dans le passé ou que j'aurai à vivre dans le futur, c'est à moi d'aller chercher l'aide nécessaire pour m'en sortir. J'ai appris que si je voulais que les choses changent autour de moi, c'est à moi de faire le changement en modifiant mon attitude, mon comportement et mes réactions. Je suis la seule responsable de ma vie.

Ce projet commun d'écriture me permet de me dépasser en exposant davantage ma vulnérabilité et en m'obligeant à confronter mes peurs de ne pas être à la hauteur. Mon but est de m'en libérer pour être capable d'aider mon prochain.

Témoignage de Joelle Pellerin

La blessure de l'éveil.

Juillet 2011. Tout bascule. Je me blesse dans un accident bête à la piscine. Conséquences : deux hernies discales cervicales avec compression de la moelle épinière. Risque de paralysie permanente. Arrêt de travail. La douleur, l'inconfort et l'inquiétude s'installent. Je suis en état de choc. Dû au risque de paralysie, je dois subir une chirurgie importante. Moment intense de confusion. Comment et pourquoi tout ça m'arrive? Je suis en colère. Tellement d'impuissance. J'ai peur. Très peur.

Les mois passent. Je suis dans l'attente de ma chirurgie. Tous les scénarios me passent par la tête. Je me sens terriblement seule. Ce que je ressens, c'est le vide intérieur. J'ai mal. Mes amis, ma famille sont à mes côtés. Au fond de moi, je suis sans vie. Que se passe-t-il? Je suis perdue. De plus en plus triste. Plus rien ne m'intéresse. Je perds peu à peu le goût de vivre.

Tout me pèse. Ces longs mois d'inertie me font prendre conscience que je n'aime plus mon conjoint. C'est lourd sur mes épaules. Je m'isole. Les portes se referment une à une. Je songe au suicide tous les jours. C'est le trou noir au fond de moi. Un ami me parle d'ateliers de croissance personnelle. J'hésite. Janvier 2012, je m'inscris. Dès le début, je m'identifie beaucoup à ce dont on parle. Lentement, je fais de grandes prises de conscience. Je démêle peu à peu cette douleur intérieure.

Mourir n'est pas nécessairement la solution pour cesser de souffrir. Par la suite, je prends la décision de m'en sortir. J'assiste aux conférences hebdomadaires et commence un journal quotidien. Lire à propos du cheminement personnel m'inspire de plus en plus. Je prends part à plusieurs week-ends en tant qu'intervenante, ce qui m'aide énormément. Les choses s'éclaircissent. Travailler sur ma guérison intérieure est devenu ma priorité.

Malgré la dépression, le mal de l'âme et la douleur physique, je me sépare de mon conjoint. Je ressens de la culpabilité, mais j'y travaille.

Mars 2012. L'opération a lieu. Aucune complication. Merci mon Dieu. J'ai passé trois mois avec un collet cervical en permanence et beaucoup de temps avec moi-même. Je comprends aujourd'hui et j'accepte ces épreuves. C'est ce qui m'a permis d'alléger lentement mes souffrances et d'effectuer un tournant majeur dans ma vie.

J'ai vaincu la dépression. Le vide intérieur est disparu. Prendre soin de moi fait maintenant partie de mon quotidien. Une journée à la fois. Je suis maintenant mieux outillée pour affronter la vie. J'ai surmonté ces épreuves et j'en suis très fière.

Quelle belle VICTOIRE!

ALLÉGER

Serait-il possible d'alléger notre vie et uniquement vivre le moment présent, sans toujours courir après le temps? Avez-vous l'impression qu'il n'y a pas assez de 24 heures dans une journée? Est-ce que vous vous sentez essoufflé, fatigué, déprimé parfois? Tout vous énerve, vous devenez colérique, vous allez exploser, l'énergie vous manque parfois pour poursuivre la journée.

Foutez-vous la paix! Oui, vous avez bien lu. Les personnages de notre société intérieure et l'égo sont bien présents. Ce n'est pas toujours facile de vivre le moment présent dans la joie, d'être dans la gratitude et la foi constamment, d'avoir des papillons au ventre, etc. Les expériences déclenchent des émotions de souffrance même si elles sont nouvelles, comme nous l'avons mentionné précédemment.

Vous devez prendre une pause, alléger votre rythme de vie en choisissant de tout laisser de côté, le temps de recharger vos batteries. Pour ce faire, vous devez alléger votre horaire et prendre le temps nécessaire pour revenir en force, car si vous continuez à vivre à un rythme infernal, la vie se chargera de vous ralentir. Alors, pourquoi ne pas vous choisir en allégeant votre vie pour un temps, dès maintenant?

Allégez votre vie et vivez la sensualité au moment présent en goûtant aux plaisirs des sens. Nous arrivons tous sur cette belle planète par le corps et la sensualité. Regardez un nouveau-né : ses premiers moyens de communication pour entrer en relation sont le corps physique et ses sens. Quelle sensation de voir un bébé **toucher** à tout ce qui l'entoure, de voir à quel point il est curieux! Il veut **goûter** tout ce qu'il prend dans ses mains, et le mettre dans sa bouche. Le bébé **sent** sa maman, son papa, les odeurs de la maison et des repas. Il découvre les merveilles qu'il **voit** et les couleurs le fascinent. Il **crie** de joie quand il aperçoit quelque chose de coloré et aussitôt, il s'écoute crier et écoute les bruits de la maison.

Trop d'adultes ont oublié leurs cinq sens. Pourtant, chaque jour, nous sommes exposés à des merveilles. Il existe des éléments importants pour vivre votre sensualité. Prenez votre temps, allégez votre rythme pour regarder le soleil, sentir les fleurs, apprécier la fraîcheur de l'hiver, être disponible pour soi, s'arrêter pour habiter son corps au moment présent, être réceptif aux messages des sens.

À partir de maintenant, devenez conscient de tout ce que vous entreprenez. Faites des choix éclairés et revenez à la base de votre vie, au moment présent. Savourez la routine. Donnez-vous le droit de faire des choix que vous aimez. Apprenez à apprécier la beauté dans tout ce que vous voyez. Vous avez accès au plaisir.

Le fait d'utiliser vos cinq sens pour vivre sainement au quotidien allégera votre parcours et vous vivrez beaucoup plus en harmonie avec vous-même. Vous serez plus enclin au bonheur, car le fait de diminuer votre rythme vous rendra plus conscient de vos choix, ce qui vous incitera à vous repositionner s'ils ne vont pas dans le sens du bonheur.

Témoignage de Valérie Faubert

Ma prison intérieure.

Me voilà en train d'observer ma page blanche. Je croyais qu'on ne pouvait qu'entendre le silence, mais force est de croire qu'il peut aussi se voir dans la blancheur de ma page. C'est la peur qui me bloque : la peur d'être jugée sur ce que je vais écrire, la peur d'être rejetée, abandonnée, trahie, la peur de ne pas être crue ou entendue. Il y a aussi mon personnage de la Miss Parfaite qui veut plaire aux autres, toucher les gens pour retrouver dans leurs yeux ne serait-ce qu'une étincelle de ma valeur.

Le silence... je l'ai toujours entretenu. J'ai toujours été une personne secrète, mettant mes émotions en sourdine. Étouffement. Serrement de gorge. Je me rappelle que mes parents m'avaient déjà dit que je n'avais pas d'expression. En fait, au fond de moi, les eaux étaient troubles. Ma tête et mon corps travaillaient très fort à bloquer ma souffrance, à refouler mes émotions, à rejeter ma honte et à nier mon humiliation. C'était chaud à l'intérieur de moi. Ça bouillonnait. De l'extérieur, par contre, je restais de glace.

Il a toujours été difficile pour moi de parler. Je ne voulais même pas faire mes exposés oraux à l'école. Quelle terreur! Être vue par tous ces élèves, être entendue, être jugée, être humiliée. J'avais terriblement peur d'être humiliée, ça oui! Je voulais juste disparaître et ne pas faire de vague. Je croyais ne pas souffrir dans mon silence. La lourdeur avait beau m'oppresser, la tension pouvait bien m'étouffer, mais il reste que certaines choses sont difficiles à sortir du torrent déchaîné de mes eaux profondes. Quel orage!

Le silence et le refoulement sont des mécanismes de défense que j'ai développés très jeune pour ne pas sentir la souffrance, pour ne pas la vivre. C'était beaucoup trop éprouvant d'exister dans ma blessure si vive. Elle brûlait de mille feux dans mon ventre. Elle brûle encore parfois aujourd'hui, et c'est difficile de ne pas lui accorder de l'importance, car je peine à me donner de la valeur, à MOI. Encore aujourd'hui, je prends conscience qu'il est pénible d'accepter d'où viennent mes blessures de non-valeur, d'humiliation, de trahison et d'ou vient mon silence. Il m'est difficile d'en parler.

Peu à peu, en grandissant, j'ai creusé ma tombe. Je l'ai incarnée dans l'ombre et le silence. Dès l'âge de cinq ans environ, la magie avait disparu et mon monde de lumière s'est assombri. C'est très délicat à dire. Mon train de pensées roule à vive allure en ce moment, car ma tête cherche une manière douce d'aborder le sujet. Il n'y a pourtant pas quatre chemins. Il y a une voie, MA voix.

Parler de mes abus est un sujet très épineux pour moi. Après plus d'une année de cheminement, j'ai enfin été capable de mettre des mots sur mes maux dans une lettre qui m'a permis de m'en libérer en la lisant devant des gens, en vivant l'instant présent et en ressentant, à travers chaque mot, les effluves de la honte qui circulaient allègrement dans mes veines.

Lettre à un fantôme

Cher fantôme,

J'ai une histoire à te raconter, et ce n'est pas un conte de fée. Il était une fois une petite fille, jeune, frêle. Elle avait de grands yeux. Une fillette à la peau de pêche, un ange plein d'énergie, un chérubin innocent et pur à la découverte de la vie.

Un jour, un nuage est venu assombrir le cœur du petit ange, le mien. J'ai senti de fois en fois mon regard s'éteindre et mon âme abandonner le corps déchu de mon petit enfant.

Au moment où tu as commis tes gestes, beaucoup de choses ont changé. Quand j'ai senti ton sperme couler dans ma bouche, j'ai senti mon corps s'empoisonner de honte. Quand j'ai senti ta bouche sur mon sexe, j'ai senti que mon intimité avait changé, qu'elle avait été violée. Plus jamais on n'allait me posséder, plus jamais je ne voulais sentir le mal, plus jamais je ne voulais sentir la honte, plus jamais... Je me suis ENFERmée pour ne plus jamais laisser, ne serait-ce qu'une ouverture.

Ce petit ange voulait disparaître vers un monde meilleur... Oui, je voulais mourir pour ne plus sentir les démons dans mon ventre. Car parfois, j'ai le goût de m'arracher la peau, de la déchirer, de la jeter, de la brûler. Je n'en veux plus. Elle M'ÉCŒURE. Je me retrouve tout à coup sans valeur. Dans un tourbillon de tourments intérieurs, les peurs m'envahissent. Je suis paralysée dans mon corps, PRISONNIÈRE D'UN FANTÔME.

Beaucoup de choses ont changé! Oui. Mais aujourd'hui, il m'appartient de me créer, de renaître de mes propres cendres. Je veux voler de mes propres ailes et cesser de ramper. Je ferai de toi une mission dans laquelle je m'accomplirai. De nous deux, c'est moi la plus PUISSANTE. Et chaque fois que je voudrai m'abandonner au détriment de fantômes du passé, je penserai à mon courage; car il faut beaucoup plus de courage pour prendre son envol que pour rester clouée au sol.

J'ai été trahie par des personnes près de moi. Je me suis toujours dit que ce n'était rien, que ce n'était pas si important, car je n'avais pas vécu de violence. On m'a parlé, on m'a manipulée, on m'a fait des promesses. Ce n'était pas brutal. Mais c'était violent à l'intérieur. La douleur était aiguë, vive et intense. Pour une personne qui a vécu un viol où la violence physique était dominante, les lésions et les ecchymoses s'envolent. Les plaies guérissent rapidement. Ce qui reste, c'est la douleur du cœur, les cris et les tourments intérieurs. Et c'est ce qui était là pour moi, comme si on avait saigné mon âme de son énergie.

Dans ma blessure, je me sens comme un déchet, sans valeur, je me sens un objet, je me sens comme une *poubelle à sperme*, et j'ai continué à entretenir ces images de moi en ne respectant pas mon corps, en n'établissant pas mes limites et en ne m'affirmant pas. Je n'ai jamais été ASSEZ pour me donner TANT d'importance.

Avant de commencer à parler, j'étais éteinte, dans une tombe, silencieuse et sans expression, voire sans vie. Je suis tombée malade à l'automne 2011. J'avais perdu beaucoup de poids, je ne dormais plus, j'étais anxieuse et déprimée. J'étais dans la brume et j'allais nulle part. Après des années à creuser et à m'enfoncer, ma tombe était enfin prête. La douleur était devenue insupportable. Cette lourdeur dans mon ventre brûlait les dernières particules de vie en moi. Je me sentais consumée de l'intérieur et devenir cendres. C'est en décembre 2011, que j'ai fait un atelier de croissance personnelle, un week-end qui m'a bouleversée profondément et qui m'a sauvé la vie.

J'ai ainsi compris que je devais apprendre à m'exprimer, à prendre ma place, à définir mes limites. J'ai passé une année et demie à travailler avec acharnement, embûche après embûche. J'ai décidé de prendre soin de moi en faisant plusieurs types de ressourcement. J'avais une grosse masse à l'intérieur, profondément ancrée. Mais ce n'est qu'au bout de cette année et demie que je me suis offert le plus beau des cadeaux. J'ai lu ma lettre que j'ai mis beaucoup de temps à écrire. Une lettre qui exprimait des choses que je n'avais jamais dites, des émotions enterrées. Une lettre écrite à un fantôme. Pourquoi un fantôme? Parce que cette personne n'existe plus, mais je l'ai laissée continuer à exercer un pouvoir sur moi. En lisant cette lettre, j'ai laissé la honte exister dans toute sa splendeur et dans toute sa douleur. J'ai senti la honte s'extirper de mes entrailles, j'ai senti la honte sortir par tous les pores de ma peau. Cela a été certainement difficile, mais ô combien libérateur.

Aujourd'hui, j'apprends à parler, à ne plus rester dans le silence, à ne plus m'isoler dans mes peines. J'ai appris à m'ouvrir aux autres en définissant mes limites. J'ai renoué des liens avec une partie de ma famille avec qui je n'avais plus aucun contact depuis une dizaine d'années. J'ai appris à me connaître et à me créer. J'ai forgé mon identité. J'ai fait beaucoup de place à l'intérieur, ce qui m'a permis de sentir ce qui m'anime, ce qui me rend vivante. J'ai arrêté de rejeter ma créativité et j'apprends à adoucir mon regard envers moi-même pour sortir de mon perfectionnisme.

Aujourd'hui, j'ai repris le dessin, je crée des toiles, je m'amuse à écrire, je confectionne mes propres bijoux et j'ai entamé un cours pour devenir thérapeute en relation d'aide. Je me sens renaître de mes propres cendres. « N'est-ce pas paradoxal que ce soit précisément nos blessures qui ouvrent la plupart d'entre nous à cette source intérieure de beauté et de création. »[1]

Je prends le temps de goûter à cette fierté qui est présente, celle de m'être choisie et de me permettre d'exister dans ma couleur unique, car aujourd'hui, je construis ma propre voie et je laisse résonner la voix de mon cœur...

PORTELANCE, Colette. La guérison intérieure par l'acceptation et le lâcher-prise, Les Éditions du CRAM, 2008, p. 215.

Témoignage de Lucie Brisebois

D'aussi loin que je me souvienne, j'étais une enfant heureuse. Je me suis toujours sentie en sécurité à la maison familiale. Aller à l'école primaire a déclenché une grande insécurité qui s'est accentuée au fil des années.

En fonction des différentes années scolaires et des professeurs, j'ai souvent eu de la difficulté à prendre ma place en classe. Je me sentais un peu isolée par rapport aux autres, je ressentais beaucoup de gêne lorsque je devais parler devant la classe ou faire un spectacle de chant ou danse.

À l'adolescence, j'ai découvert le sport, une échappatoire extraordinaire. L'activité physique me permettait de me sentir bien et fière. C'était l'endroit où le doute n'existait pas. En vieillissant, je ne me suis pas vraiment rendu compte de mon malaise.

Lorsque certaines difficultés familiales sont survenues (couple/enfants), j'ai développé de l'anxiété que j'avais beaucoup de mal à exprimer. J'ai fait de mon mieux jusqu'en 2005, car j'avais des problèmes de glande thyroïde difficile à contrôler. J'ai fait connaissance avec les médecines douces : méditation, massage énergétique, lecture sur le bien-être, etc.

Ça me faisait du bien, mais aussitôt qu'un événement survenait, je me sentais mal de nouveau et perdais toute mon énergie à essayer de m'en sortir.

Comme mes proches n'étaient pas ou-verts envers ma démarche, je m'en revenais seule avec mon petit bonheur, sans jamais partager le fond de ma pensée. Je n'ai pris conscience de cela que bien des années plus tard en voyant que j'étais plus en mode survie qu'en vie.

À force de participer à des ateliers de croissance personnelle et de rencontrer des gens qui me faisaient cheminer, je suis devenue mieux outillée pour prendre ma place et me sentir plus vivante.

J'ai commencé à toucher au bien-être et à avoir envie d'y être le plus souvent possible en laissant tomber le paraître et le faire.

J'ai recommencé à rêver et à avoir des projets. Quel beau cadeau de la vie! La communication n'est pas encore ma grande force, mais pas à pas, marche par marche, j'avance dans la vie... dans MA vie avec moins d'anxiété et plus de moments heureux.

Le soleil fait maintenant partie de ma vie quotidienne.

L'ACTION

AGIS, fais ce que TU dis !

Le titre du livre l'exprime bien : vous devez passer à l'action pour être dans un endroit prestigieux. Cet endroit est en vous, une place bien spéciale, mais peu fréquentée. Est-ce que vos actions constituent, selon vous, un dépassement de vos peurs? Est-ce que vos actions sont un moyen d'accéder à cet endroit de prestige, vers votre amour de soi? Est-ce que vos actions vous dirigent vers la joie et le bonheur ou vous détruisent-elles intérieurement? Tout ce que vous pensez inconsciemment, et même consciemment, devient action. Il est donc important de comprendre et de vous demander si votre discours intérieur est à un endroit de prestige en vous ou si votre discours intérieur est dévastateur et négatif. Êtes-vous constamment dans le passé lorsque vous vous parlez ou que vous parlez à votre entourage avec un discours destructeur et écrasant?

Les chapitres et les témoignages lus jusqu'à maintenant vous ont-ils impressionné ou touché? Il devrait au moins y avoir une phrase ou plus pour vous aider à passer à l'action afin de vous pardonner, ainsi qu'à vos actions et à vos expériences qui vous ont fait souffrir. Il doit bien y avoir des actions pour vivre dans la foi et dans l'amour de soi.

Je vous invite à écouter vos peurs, à les reconnaître et à les identifier pour être en mesure de les vaincre et d'en faire vos alliées. Vous devez vous servir de vos peurs pour arriver à vos désirs, car derrière chaque peur il s'en cache une autre. La peur déclenche vos complexes, vos émotions, vos personnages et vos fausses croyances. Dans l'imaginaire, lorsque vous reztez rigide et ne faites rien, les scénarios produisent l'immobilisation de la créativité. Les patterns de votre passé reviennent constamment hanter votre moment présent.

Allégez vos actions

Vous êtes constamment en mouvement, vous êtes vivant, vous êtes habité par une énergie des plus puissantes. Si vous êtes perplexe, je vous invite à agir dès maintenant en allégeant vos actions. Si vous n'arrivez pas à atteindre vos buts, vos objectifs, si vos rêves ne se réalisent pas, c'est que vous choisissez vos actions selon vos pensées. Le contraire, c'est-à-dire l'action de ne rien faire, est également un choix. Que vous avanciez le plus rapidement possible ou que vous soyez arrêté complètement, vous êtes dans la résistance.

Avec votre main droite, serrez le tour de votre poignet gauche le plus fort possible. Le seul fait d'y penser vous fait mal, car vous apportez une tension à cet endroit. Comment voulez-vous penser à autre chose qu'à votre poignet gauche s'il y a une tension, une résistance, du mal à cet endroit?

C'est la même chose à l'intérieur de vous : si vous avez une tension, une résistance dans votre cœur, de la haine, du ressentiment, vos actions seront dirigées vers la tension et la résistance. Si votre discours intérieur est négatif et limitant, apparaît alors la résistance et vous vous retrouvez possédé par votre discours intérieur qui vous immobilise, car l'accent est seulement à un endroit à l'intérieur de vous, ce qui vous empêche de voir autre chose.

Cessez de vous détruire avec votre discours intérieur. Nous sommes 32 participants à ce projet d'écriture et nous vous comprenons, car nous avons tous fait cette expérience pour vivre de plus en plus en harmonie avec nous-mêmes. Vous êtes normal! Vous n'êtes pas seul. Nous sommes tous passés par là pour enfin vivre des moments plus heureux, des moments magiques qui font apprécier la vie au moment présent.

Allégez vos actions pour écouter votre discours intérieur et agissez ainsi chaque matin. Prenez vingt minutes de votre temps pour écouter votre petite voix intérieure.

Ce ne sera pas facile au début, surtout si vous n'avez jamais osé prendre ce temps pour vous. Si votre discours intérieur en ce moment est dévastateur, c'est évident qu'il vous dira que vous ne méritez pas ce temps de qualité, qu'il y a autre chose de plus important à faire. À ce moment, foutez-vous la paix et donnez-vous le droit d'intervenir pour VOUS.

Prenez seulement vingt minutes le matin pour déterminer vos actions de la journée. Demandez à votre Dieu de vous aider à vivre une journée dans la paix intérieure, de vous rendre conscient des sens que vous possédez pour vivre votre sensualité dans le moment présent, de rencontrer des gens extraordinaires et positifs qui vous aideront à vivre le bonheur et la joie.

Témoignage de Anthony Lavelle

Les sacrifices inconscients de la vie de famille.

Ce texte me permet de constater plusieurs fausses croyances et accumulation de peurs qui proviennent de mon enfance et qui m'ont suivi dans plusieurs aspects de ma vie d'adulte. Je ressens de la gratitude pour ces nouvelles prises de conscience et pour avoir eu le courage d'être authentique dans ce témoignage.

J'ai toujours pensé qu'il fallait travailler fort sans jamais s'absenter du travail ni refuser de faire des heures supplémentaires. J'ai commencé à travailler très jeune en distribuant des journaux et, quand je suis entré au collège, j'ai continué à travailler comme journalier les soirs et les samedis pour une compagnie de rénovation. J'ai travaillé sans relâche durant toute mon adolescence et depuis, je n'ai jamais cessé. Mais voici que ma plus grande peur, celle de manquer d'argent, s'est accrue en même temps que le manque de confiance en mes compétences, et cela dans tous les emplois que j'ai occupés.

J'ai eu un coup de foudre à 24 ans, la première fois que j'ai rencontré la mère de mes enfants. Nous nous rendions à une activité de groupe avec ma copine et des amies, et elle était passagère dans mon auto. Je l'ai regardée dans mon rétroviseur durant tout le trajet. Quelques mois ont passé avant le début de nos fréquentations. Dès notre première soirée, notre histoire d'amour a pris naissance et j'ai tout de suite emménagé dans sa maison.

Par la suite, nous avons acheté notre première maison, nous nous sommes mariés et notre première fille est née. Durant cette période, j'ai vécu une grève au travail et une longue mise à pied à l'usine de papier où je travaillais. Cette période a été très difficile, car je n'avais plus d'emploi stable et j'avais des obligations financières importantes, ce qui m'a fait vivre toutes sortes d'insécurités. J'en parlais beaucoup, car c'était une grande préoccupation pour moi. Au lieu de vivre les beaux moments de ma vie, l'achat de notre nouvelle maison et l'arrivée de notre premier enfant, je suis retourné à l'école pour me recycler dans un autre métier, en informatique.

À 30 ans, notre deuxième fille est née, ce qui coïncidait avec ma deuxième année dans ce nouveau domaine. J'étais très préoccupé par notre sécurité financière et, pourtant, tout allait bien. Pour ma part, j'étais satisfait de notre relation et nous étions toujours amoureux. Nous vivions de beaux moments avec nos deux belles filles, la vie me semblait parfaite.

À 33 ans, notre garçon est né : un beau poupon en santé. Pendant cette période, le père de mon épouse est venu vivre avec nous pendant un an, une période difficile pour moi et pour notre couple à cause des nombreux conflits personnels, financiers et la lutte de pouvoir dans notre maison. J'ai changé d'emploi pour la quatrième fois, mais toujours pour le mieux. C'était un poste très exigeant, mais surtout stressant, car je manquais encore de confiance dans mes habiletés et capacités informatiques. J'ai pallié à cela en travaillant plus fort et en fournissant un effort additionnel et beaucoup d'heures supplémentaires.

Après un bel été passé en famille, il y avait de la tension dans notre couple. J'étais vraiment préoccupé par mes projets au travail et je négligeais la chose la plus importante qui soit : ma famille. Après le long week-end du mois de septembre, mon épouse et moi sommes allés manger au restaurant où elle m'avait invité pour m'annoncer qu'elle était amoureuse d'un autre homme depuis un an. Cet homme était notre ami. Il va sans dire que je n'ai pas été capable d'avaler une bouchée. Cet aveu venait de me détruire complètement. Je n'oublierai jamais ce sentiment d'impuissance, la douleur que j'ai ressentie et qui ont fait remonter toutes mes peurs et blessures. C'était une douleur sentimentale insoutenable.

Ceci fut ma première véritable peine d'amour et, d'ailleurs, la seule à ce jour. Les semaines qui ont suivi ont été extrêmement difficiles et déchirantes. J'ai perdu beaucoup de poids, je dormais mal, je vivais un stress énorme avec la peur de perdre mon noyau familial. J'ai pleuré toutes les larmes de mon corps, réalisant que je n'étais pas invincible. Au lieu de penser à nous deux et prendre les bonnes décisions pour notre bien-être respectif, j'ai fait tout ce qui était en mon pouvoir pour nous réconcilier et rebâtir notre relation en prenant les grands moyens : thérapie de couple, activités familiales, etc. J'ai tout fait pour racheter notre amour avec du matériel de tout genre. Je cherchais des solutions à nos problèmes, des façons de les surmonter, je voulais être le sauveur de ma famille. Je vivais une haine tenace pour cet homme, le blâmant de tout et cherchant à trouver une façon de me venger. Je lui voulais du mal, beaucoup de mal de me faire subir une blessure qui me détruisait. Heureusement, j'ai réussi à lui pardonner rapidement grâce à mon cheminement en croissance personnelle.

Durant les années qui ont suivi cette période difficile de ma vie, j'ai continué à vouloir rebâtir notre avenir ensemble, mais les dommages étaient faits dans notre couple et la reconstruction de notre relation était difficile. J'éprouvais une grande dépendance sexuelle envers ma conjointe et je me sentais toujours obligé de lui plaire. Je sentais dans mon for intérieur que notre amour avait changé, mais je ne voulais pas l'admettre. Ma famille était encore ma priorité et je voulais la maintenir ainsi à tout prix. Nous avons donc investi dans une nouvelle maison de rêve pour vivre un nouveau départ familial. Nous y avons vécu de bons moments ensemble avec des nouveaux voisins, un bel environnement à la campagne, de belles activités et des vacances tous ensemble. Malgré ce bonheur apparent, je ne me sentais pas assez impliqué avec mes enfants, je ne communiquais pas suffisamment avec eux, je ne pensais qu'à notre couple, au côté financier et à mon travail.

En 2008, la séparation devenait imminente : nous étions tous deux malheureux, nos relations étaient au plus bas et nous ne nous disions plus que nous nous aimions. Parallèlement à notre vie de couple qui était sur le point de basculer, j'ai décidé de postuler pour un nouveau travail à l'interne, mais rémunéré à la moitié de mon salaire, car je cherchais une meilleure sécurité d'emploi comportant des avantages sociaux et un fonds de retraite. Toutes ces années passées à acheter l'amour avec des biens matériels et des propriétés coûteuses ne m'avaient pas permis d'accumuler des économies significatives. Tous ces changements nous ont obligés à vendre notre maison de rêve et à revenir habiter à la ville dans une maison ordinaire.

Depuis l'hiver 2010, un grand froid s'était installé et nous n'arrivions pas à parler de nos problèmes, à envisager la séparation, par amour pour nos enfants dans mon cas, et je crois bien que c'était aussi la priorité de ma conjointe. En novembre 2010, j'ai trouvé le courage de lui exprimer ce que je ressentais et nous nous sommes séparés en très bons termes, décidant d'adopter une attitude harmonieuse pour faciliter la vie de nos enfants. Je dois admettre que, malgré tous les problèmes vécus dans notre relation, sans son soutien moral et son aide à vaincre certaines de mes peurs, je n'aurais pas réussi à avancer aussi loin ni dans ma carrière ni dans notre prospérité familiale.

Bien sûr, j'ai dû faire le deuil de mon mariage et de l'image d'une famille unie pour la vie. Je me suis remis à suivre des ateliers de croissance personnelle et à lire sur le sujet. J'en ai retenu une leçon importante : les probabilités qu'une peur se concrétise n'est que de 2 %; cela signifie donc qu'il reste 98 % de chances qu'elle ne se manifeste pas. La peur principale que j'ai entretenue tout au long de ma vie, celle de manquer d'argent, ne s'est pas concrétisée.

Par la grâce de la vie, il n'est jamais trop tard pour se reprendre en mains et s'améliorer pour influencer ceux qu'on aime.

Témoignage de Michel Dorman

J'avais peur d'être pauvre comme ceux de ma lignée avant moi et je cherchais toujours à me démarquer. Mes parents, mis à part le fait d'aimer leurs enfants, n'avaient rien accompli et je me voyais destiné à une vie misérable comme la leur. J'ai décidé de modifier ce parcours quand j'ai entendu la réponse de mon père suite à l'annonce de ma décision de quitter l'école : « *Bon, va travailler et tu pourras payer une petite allocation.* » Ma mère a ajouté : « *Ne t'inquiète pas, ça ne sera pas cher.* » Leurs réactions m'ont carrément jeté par terre. Même si j'en avais ras-le-bol de l'école, ce n'était pas la réponse à laquelle je m'attendais.

Voici ce que j'aurais aimé m'entendre dire : « *Mon fils, ne décroche pas, l'école, c'est important. Plus tu es éduqué, plus de chances tu auras dans la vie. Tu pourras être un professionnel, médecin, avocat, ou autre., et ensemble on va t'aider à réaliser tes rêves.* »

Ce qui m'a fait décrocher, c'est le fait de vouloir partir de chez moi. Je sentais que si je restais avec ma famille, je n'aurais rien d'autre dans la vie que de l'amour. L'amour, c'est important, mais j'avais besoin de plus. Lorsque j'ai fêté mes 16 ans, j'ai pris un appartement avec ma copine qui est devenue ma femme et, le soir même, je lui ai promis que nous n'aurions plus de problèmes et que je ferais en sorte qu'elle ne manque jamais de rien.

Avec mon peu d'éducation, je devais parfois cumuler jusqu'à trois emplois pour respecter la promesse que je lui avais faite.

Loin de regretter la pauvreté vécue chez mes parents, j'en suis au contraire reconnaissant à la vie, car elle me fait apprécier les beaux moments et les gâteries que je vis aujourd'hui. Mes parents nous ont toujours donné à manger à notre faim, nous étions propres, car ma mère était fière et personne ne devait savoir que nous avions des soucis financiers.

Cette expérience passée m'a rendu très sensible à la pauvreté et je donne beaucoup aux gens qui sont dans le besoin, ce qui crée parfois des tensions dans notre couple. Il faut dire que ma conjointe a souvent raison de réagir en disant que je devrais donner ce que j'ai et non ce que je n'ai pas. Elle trouve que certains abusent de ma générosité, alors j'essaie d'être plus vigilant.

J'ai comme philosophie d'agir pour faire du bien à autrui. L'univers a été bon pour moi, me permettant de me lever le lendemain et de recommencer. Je me sens tellement bien quand je donne.

Voici quelques éléments qui m'ont le plus marqué dans ma jeunesse. À l'âge de 8 ans, tout ce qu'on avait pour jouer dehors en été, c'étaient des roches, et en hiver, le crottin gelé des vaches pour jouer au hockey. Nous utilisions les vieux bâtons brisés par les enfants plus favorisés.

Ce qui me revient toujours comme image, c'est le souvenir de mon beau-frère qui venait chercher ma sœur pour l'amener en camping. Je disais à mon petit frère : « Viens à la fenêtre et quand il va partir, on lui envoie la main et on pleure, peut-être qu'il va nous amener! » Et quand il partait, nous nous mettions à pleurer réellement. Il se retournait et revenait nous chercher. J'ai compris qu'il était sensible et c'est peut-être à cause de lui que j'ai développé cette sensibilité envers les autres.

De plus, j'avais hérité des gènes de ma mère, une femme qui avait tout donné. Je ne pouvais donc pas faire autrement : c'était dans ma nature.

Un soir, j'ai entendu une conversation entre mon père et ma mère. Mon père disait : « J'ai eu une augmentation de salaire au travail. Demain, tu iras t'acheter de nouveaux sous-vêtements, tu ne peux plus te promener comme ça. Tu en as vraiment besoin. N'achète rien pour les enfants. C'est pour toi seulement. » Le matin venu, ma mère insiste pour que je l'accompagne faire ses emplettes.

Jamais je n'oublierai les vêtements qu'elle m'a achetés ce jour-là, l'habit et les nouvelles chaussures pour ma première communion. J'étais si fier! Quand nous sommes revenus à la maison avec tous ces achats pour moi et sans sous-vêtements pour elle, mon père était furieux! Alors, je n'ai pas à chercher loin pour comprendre pourquoi j'agis de la sorte! Je constate que la relation que mon père avait avec ma mère, c'est un peu celle que j'ai avec mon épouse.

La relation avec mon fils

Mon fils, Jason, est né le 25 septembre 1980, alors si l'on remonte au jour de sa conception, je crois que je m'étais offert un beau cadeau de Noël! À sa naissance, le médecin nous annonce qu'il a des problèmes respiratoires et qu'il doit rester à l'hôpital jusqu'à ce que son problème se stabilise. Ma femme quitte donc l'hôpital sans son bébé.

À sa sortie, quelques semaines plus tard, Jason accumule les complications : difficulté à se nourrir et allergies. Depuis sa naissance, nous avons célébré tous nos Noël à l'hôpital, sauf celui de ses 7 ans.

En questionnant le médecin sur la raison de ses fréquentes hospitalisations durant la période des fêtes, il émet l'hypothèse que c'est peut-être relié à l'excitation de cette période particulière. Nous avons dû développer des comportements adaptés à sa maladie : nous étions attentifs à ce que nos réprimandes ne provoquent pas de crise d'asthme. Toute sa jeunesse a été une source d'inquiétude et nous l'avons traité comme un enfant-roi, non pas à cause de ses exigences, mais bien par nos gestes et notre attitude. Il n'acceptait aucun refus, ce qui lui a causé de nombreux déboires. Au moment où j'écris ces lignes, il est en prison.

Mon cheminement en croissance personnelle m'a grandement aidé à dépasser mes préjugés et à montrer à mon épouse que je faisais des pas pour m'améliorer.

Le jour de mon premier atelier, j'étais nerveux et je me suis mis à consommer de la bière quelques heures avant et à me trouver des excuses pour annuler. C'était difficile, car quand j'ai un engagement, je le respecte. Je me suis dit que je m'y rendrais pour payer ma séance et que je repartirais aussitôt. Mais les choses se sont présentées autrement.

Comme la rencontre était déjà commencée, quelqu'un m'a dirigé vers mon siège. Je n'ai rien dit, mais je pensais m'esquiver à l'entracte après avoir payé mon dû. En attendant, je me suis prêté au jeu des présentations et des raisons pour notre présence. Une dame s'est levée, s'est présentée et a précisé qu'elle essayait de guérir du viol qu'elle avait vécu dans sa jeunesse et qui l'empêchait d'avancer aujourd'hui.

Je me suis dégrisé en trois secondes et j'ai plongé dans l'atelier sans penser à partir. Je remercie cette dame dont la souffrance m'a permis de rester cloué sur ma chaise pour amorcer le premier pas de ma croissance.

Et croyez-moi, j'en fais tous les jours. Assister à une conférence est une chose, mais mettre les enseignements en pratique en est une autre. Le fait de poursuivre ce cheminement me garde centré. J'ai senti le besoin de retourner aux sources et j'ai commencé à croire pour les bonnes raisons.

LA GRATITUDE

Gratitude! Que signifie ce mot pour vous? Prenez quelques minutes pour penser à la meilleure définition que vous donneriez à ce mot.

Je vous félicite, car vous avez entièrement raison. Vous détenez la meilleure définition du mot *gratitude*. Est-ce que vous l'avez écrite? Vous devriez, car votre définition doit être exposée partout où vous pouvez prendre le temps de la lire. Imaginez qu'on puisse prendre connaissance de toutes les réponses de nos lecteurs et les lire à ceux qui vivent l'enfer. Votre définition pourrait sauver la vie d'une personne qui a déjà vécu des expériences souffrantes.

Le temps que vous avez pris pour définir ce mot, vous étiez dans la reconnaissance de vos avoirs, c'est-à-dire ce que vous faites en ce moment et qui vous êtes lorsque vous vivez dans votre être extraordinaire. Vous avez eu de la gratitude pour votre vie. C'est VOTRE définition à vous, VOS idées. Vous aviez une pensée positive et... vos pensées deviennent actions.

C'est tellement important de ressentir de la gratitude le plus souvent possible et de reconnaître, au moment présent, le bienfait de toutes les petites choses qui composent notre vie, même les plus banales.

Pourquoi pensez-vous que vous avez pu écrire vos témoignages? Parce que vous avez pardonné, vous avez assumé votre passé. Sans la gratitude, personne n'y serait arrivé. Cette attitude vous a permis de reconnaître vos forces, vos valeurs humaines et la *force supérieure* qui réside en chacun de nous. Vous avez reconnu que vous n'étiez plus seul, que Dieu vous habite dès que vous reconnaissez les signes de la vie pour les apporter dans l'amour de soi.

Donnez-vous cette importance chaque fois que vous pouvez vous arrêter afin d'avoir de la gratitude pour votre santé, votre maison, votre voiture, votre capacité à prendre le métro, l'autobus, pour la nourriture sur votre table. Reconnaissez que vous avez la capacité de prendre une bonne respiration, cette énergie puissante qui vous permet de vivre dans ce magnifique monde, de recevoir un ami à dîner, d'avoir un travail, etc.

Être capable de ressentir de la gratitude apporte des bienfaits magiques, car elle constitue le seul moyen pour arrêter de se tenir soi-même pour acquis. Lorsque vous agissez ainsi, vous devenez dévastateur pour vous et les autres, car vous êtes dans le jugement, le ressentiment et la colère.

Soyez fier, même si ce n'est pas l'attitude que vous privilégiez en ce moment. Répétez-vous ceci : « Ce n'est pas ma préférence en ce moment, mais je ressens de la gratitude! »

Vous devez aimer ce que vous faites et qui vous êtes. Sortez le positif dans les plus petites choses de la vie et vous en trouverez bien plus facilement d'autres, vous pouvez le croire.

Je termine ce chapitre en vous invitant à reconnaître votre Dieu le plus souvent possible, ce qui vous permettra de vous sentir de plus en plus important.

Témoignage de Marie-Josée Guindon

L'amour est toujours la bonne réponse...

À l'hiver 2011, je suis couchée un soir, dans ma belle maison, au chaud. Mes deux enfants dorment à poings fermés et mon mari aussi, à côté de moi. J'ai un travail qui me passionne, des amis, une famille qui m'aime, des loisirs, de l'argent, une bonne santé. Et pourtant, je me sens sur le point de craquer. Tout mon corps tremble. Mon cœur bat à tout rompre, j'ai la gorge serrée, les idées qui se bousculent à toute vitesse.

Il faut que je trouve quelque chose pour m'accrocher. Je prends du papier, un stylo et je me mets à écrire. Les mots se bousculent à toute vitesse sur le papier. Je n'ai même pas le temps d'y réfléchir. Aucune structure, aucune censure...

Au bout de quarante-cinq minutes, je dépose mon stylo, je suis épuisée. Je sens que je n'ai pas terminé. Je me rassois pour lire ce que je viens de *vomir*. Je suis abasourdie par ce que je lis.

Une grande tristesse m'envahit soudainement. Je dois me rendre à l'évidence : je suis malheureuse. Je me fais croire que tout va bien, que la vie est belle. Je survis depuis des mois, peut-être même des années, mais je ne vis pas. J'existe. Je me démène pour plaire aux autres, pour faire ce qui est bien et normal dans notre société.

Je ne suis pas heureuse dans mon mariage. Je ressens un énorme gouffre entre nous. Mariés depuis dix ans, nous sommes comme deux colocataires, polis et courtois.

Pour aller au bout de mon angoisse de cette nuit-là, je décide de réveiller mon mari. Confus, il m'écoute lui lire ce que je viens d'écrire. Un long silence s'ensuit. Finalement, il lève les yeux, le regard sombre, et me dit : « *Si tu dois t'en aller, si c'est vraiment ce que tu veux, alors fais-le.* » Il me dit que je peux partir si c'est ce que je veux…

Cette phrase, que je ressens comme un immense manque d'amour de sa part, me tombe dessus comme une bombe. Comment peut-il me laisser partir ainsi? Je vis une grande colère quant au fait qu'il me remette cette décision sur les bras. Il me dit que ce n'est pas SON choix. Je lui en veux. Je suis tellement déçue et je ressens une énorme pression.

Au fil des mois, je me sens de plus en plus fatiguée, incomprise, seule. Je sens que je m'éteins peu à peu, que mes yeux brillent de moins en moins. Je tente de masquer mon mal-être. Je réussis partiellement, selon les situations. Mais je sais que je me mens de plus en plus et ne fais que repousser le moment où je devrai aller chercher plus profondément à l'intérieur de moi pour trouver ce qui m'empêche d'être libre.

Mais la routine, les obligations professionnelles et mes responsabilités parentales font en sorte que je n'arrive pas à aller au fond des choses. Je veux à tout prix me sentir vivante. Mais pour l'instant, je fonctionne. Je ne vis pas pour moi… Qui suis-je en fait? Grande question. Suis-je vraiment à la bonne place? Suis-je dans ma pleine expression de qui je pourrais être? Je sais pertinemment bien que non.

Un an plus tard, j'annonce à mon conjoint que je souhaite partir en voyage, seule. Je veux faire face à mes pensées et mes angoisses.

Pendant mon séjour, je lis un livre, mis dans ma valise *par hasard*, qui me fait un bien incroyable, *Le Why Café*. Ce bref récit me permet de me reconnecter à ma petite voix intérieure : ma foi en moi, en la vie, en mon Dieu. Je constate également que je n'ai pas perdu ma flamme, que je peux encore m'amuser et profiter des moments simples de bonheur. Ces sept jours me permettent de recharger mes batteries, de me reconnecter à moi, en tant que femme. Je me fais la promesse de prendre soin de moi, de la femme que je suis, de m'accorder plus de temps...

C'est également à mon retour de voyage que je décide de prendre une année sabbatique. Je me sens au bord de l'épuisement et je ne veux pas me rendre là. Des proches me suggèrent de prendre un congé de maladie pour épuisement professionnel, mais je ne veux pas accrocher une étiquette *négative* à ce congé, ce départ temporaire.

Au contraire, je le souhaite comme un moment de *pleine puissance*, où je me permettrai d'*être*, et moins de *faire*. Je souhaite me laisser guider au fil des premières semaines, voire des premiers mois, afin de ne pas me lancer dans des tâches qui ne serviraient qu'à combler un vide. Je veux vivre ce malaise, même s'il me fait peur. Je veux prendre mon temps, savourer cette nouvelle *moi.*

Lorsque la routine de septembre reprend et que l'école recommence pour mes filles, je me retrouve seule à la maison, avec quelques idées de projets, sans plus. C'est cette disponibilité qui me mène à entreprendre des ateliers de croissance personnelle d'où je ressors tellement plus légère.

De plus, je prends conscience que les blessures de mon enfance, de mon adolescence et même de ma vie d'adulte m'ont réduite à un état de fonctionnement qui me détruisait lentement.

Je ne fonctionnais que pour les autres, pour leur plaire, pour voir ma propre valeur dans leurs yeux. Je recherchais à tout prix l'approbation de mon entourage, dans presque tout ce que je faisais : mon apparence, mon travail, ma cuisine, ma façon d'éduquer mes enfants. Et quand je décidais de vivre selon mes valeurs, et que je savais que cela dérangerait ou déplairait, je me ressentais un sentiment de culpabilité. Alors, dans tout ce méli-mélo, j'avais complètement oublié d'être *moi*.

Avec mon cheminement personnel, j'apprends à me redonner de l'amour, de l'attention, de la compassion. J'apprends à accepter l'amour des autres, à me pardonner d'être imparfaite et de ne pas toujours être à la hauteur de mes attentes ou de celles des autres. Mon mari et moi communiquons de mieux en mieux, avec plus d'authenticité. Cela ne veut pas dire qu'il n'y a jamais de frictions.

Tout n'est pas toujours rose! Au contraire... Mais, nous choisissons chaque jour de rester ensemble parce que nous nous aimons et que nous voulons partager le chemin avec l'autre, même lors de passages plus sombres.

Puis, un peu plus tard, je m'inscris à des ateliers plus intensifs qui s'avèrent une expérience encore plus libératrice. Je ressens avec force ma volonté de reprendre mon identité, de vivre avec le cœur léger, de respirer à pleins poumons. JE VEUX VIVRE MA VIE!

Je ne veux pas être esclave des heures qui passent, des jours et des nuits qui se succèdent. Je veux vivre le moment présent, avec en mon cœur la confiance et la foi de savoir que je suis à la bonne place. Je veux aussi me réaliser avec plus d'assurance, cesser d'avoir peur, de douter, de me questionner sans cesse. Suite à ces ateliers, je décide de renouveler mon congé sabbatique. N'y a-t-il pas autre chose qui m'attend? Suis-je destinée à autre chose? La réponse n'est pas encore claire au fond de moi.

Pour être franche, je vis des montagnes russes. Il y a des jours où je suis convaincue dans tout mon être que je vais y retourner et, le lendemain, cette idée m'apparaît si peu probable... J'entrevois donc l'année à venir comme une année de découvertes, où je me permettrai encore de grandir, en tentant de me dépasser le plus souvent possible.

Je me retrouve actuellement, à 34 ans, dans un moment très incertain de ma vie, à une croisée des chemins. Je sais que c'est souvent le cas dans la trentaine.

Quand je pense à ma vie, je suis fière du chemin parcouru. Fière aussi de la femme que je suis. Je suis si heureuse d'avoir persévéré sur le chemin de l'Amour, sans baisser les bras devant les obstacles de mon mariage.

Je suis remplie de gratitude envers les personnes incroyables qui ont été placées sur ma route, il y a 20 ans, 10 ans, 5 ans, 6 mois. Certaines ont été que de passage, certaines autres sont restées, mais toutes ont contribué à me faire avancer. Certaines m'ont blessée, m'ont choquée, d'autres m'ont bercée, tendu la main. Mais toutes ont contribué à me faire avancer.

J'apprécie aussi le fait d'avoir un mari merveilleux qui m'accompagne sur le chemin, parfois, tortueux de la vie. Il me permet de vivre ces deux années de congé sans soucis financiers. C'est un énorme cadeau qui me touche profondément. Je suis pleine de reconnaissance envers les deux magnifiques filles que j'ai mises au monde. Elles sont des trésors de beauté, de pureté et me permettent de devenir une meilleure personne. Je remercie la Vie de m'avoir donné une famille qui m'accepte telle que je suis. J'ai grandi entourée de gens bons, et je continue de vivre de magnifiques moments avec ma famille. Ces êtres sont si précieux pour moi.

Je suis également reconnaissante d'avoir une bonne santé qui me permet de faire tout ce que je désire. Je ne veux rien tenir pour acquis. Je veux me réveiller tous les matins en recevant ce nouveau jour comme un cadeau. Et la vie continue...

Témoignage de Éric Cardinal

En ce moment, ça bouillonne à l'intérieur de moi. L'événement que je désire partager est récent et me laisser aider ainsi est un grand pas.

Dans le cadre du projet d'écriture, j'ai expérimenté le moment présent et, comme je me suis souvent débrouillé seul, je suis touché par l'appui du groupe auquel j'appartiens. Pour moi, le fait de me laisser aider a longtemps été un signe de faiblesse que je ne voulais pas trop montrer.

Il n'y a pas très longtemps, j'ai dû faire euthanasier mon chien, car il avait mordu une dame en mon absence.

Avec mon groupe de croissance personnelle, j'apprends à me donner de la valeur, ce qui m'a fait prendre conscience que j'avais banalisé mes limites par rapport à mon chien. J'en ai deux à la maison, et ce jour-là, la fille de ma conjointe est venue avec le sien, ce qui totalisait trois chiens. Ma belle-fille était partie changer de vêtements et, pendant ce temps, les chiens sont sortis par la porte-moustiquaire. Ce qui devait arriver arriva : mon chien a mordu une dame.

Au début, je ressentais beaucoup de colère à l'égard de mon chien et de la fille de ma conjointe qui ne l'avait pas bien surveillé.

Parallèlement à cela, je m'en voulais de ne pas m'être écouté en ne respectant pas mes limites concernant la surveillance de mon chien.

Je n'avais aucun pouvoir sur la situation, car il s'agissait de ma responsabilité. C'était pourtant un bon chien auquel j'étais très attaché : il avait un côté protecteur et l'incident était survenu en l'absence de son maître.

J'ai beaucoup pleuré sa perte. Je désirais vivement un chien depuis mon enfance, mais mes parents n'étaient pas d'accord. C'est pourquoi sa présence me manque tellement le soir quand je rentre du travail : je sais que c'est un deuil à faire.

Mon cheminement m'a fait prendre conscience que je m'oublie souvent pour plaire à l'autre : je dépasse mes limites. C'est une émotion souffrante que je n'ai plus envie de revivre.

Ce que je retiens de cette expérience, c'est que je dois m'accorder suffisamment d'importance pour faire les choses pour moi et non pour les autres, même s'ils ne sont pas d'accord.

Aujourd'hui, je veux affirmer mes limites, quitte à perdre face aux autres, en autant que moi, au moins, je ne me perds pas. Auparavant, quand je vivais un malaise, je repoussais mes limites pour plaire. Aujourd'hui, je ne veux plus cela.

Lorsque j'ai partagé mon témoignage aux membres de mon groupe, j'ai reçu des applaudissements et je me suis dit qu'il n'y avait rien qui méritait cela : je retournais à la banalisation. Par la suite, j'ai pris le temps d'accueillir ces applaudissements, car aujourd'hui, **j'ai le goût d'exister**!

INSISTER

Reprenons tous les mots de chaque chapitre. Avez-vous remarqué que chaque lettre propose : **« Ê-T-R-E D-É-C-I-D-É À A-G-I-R » ?**

« Ê » pour Être. Je vous encourage fortement à faire tous les efforts possibles afin d'être la personne que vous souhaitez vraiment, suite à la lecture de ce livre. Mais au-delà de cette lecture, il vous faudra insister, dans toutes les facettes de votre vie, pour être dans l'amour de soi. Insister pour devenir votre idéal, celui ou celle que vous choisirez d'être dans la simplicité, sans pression, un jour à la fois.

« T » pour Tendresse. Vous serez dorénavant conscient lorsque vous manquerez de tendresse envers vous. Insister pour faire des choix différents peut vous faire vivre de l'inconfort, car opérer des changements, si vous n'êtes pas habitué, n'est pas toujours agréable. Par contre, c'est le meilleur choix que vous puissiez faire. La tendresse de vos nouveaux choix est l'un des ingrédients de compassion, d'empathie pour vous. Insistez pour vous accueillir avec tendresse.

« R » pour Règles. Vous devez vous donner des règles très claires et précises pour pouvoir être constant dans votre démarche de cheminement personnel. Vous êtes votre propre GPS. Soyez clair dans vos demandes. Établissez des règles simples qui peuvent être comprises par un enfant de dix ans. La simplicité est requise pour vivre le moment présent.

« E » pour Émotion. Les émotions, vous en vivez à chaque mouvement que vous faites, alors vous devez vous accueillir et écouter ces émotions pour pouvoir prendre les bonnes décisions.

« D » pour Démarrer. Dès maintenant! Pourquoi attendre le bon moment? Le bon moment, c'est maintenant! Démarrez en étant libéré de vos vieilles blessures qui vous font vivre dans le passé. Pardonnez-vous aujourd'hui!

« E » pour Enthousiasme. Pour réussir votre démarche vers le bonheur, il est primordial de vivre des moments de paix, des moments magiques pour que l'enthousiasme éveille le positif en vous, la passion, et rallume la flamme.

« C » pour Croire. Personne ne peut croire en vous plus que vous-même. Il n'y a personne sur cette terre qui ait plus de pouvoir que vous. Savoir que vous êtes unique et que vous avez le droit à l'abondance et à la prospérité donne le goût de vaincre vos peurs afin de croire en soi.

« I » pour Important. Vous êtes important! Vous avez le choix de vivre plusieurs expériences pour vous sentir important. Ne laissez plus vos personnages détruire votre amour de soi. Soyez assez responsable pour créer en vous un sentiment d'importance.

« D » pour Dignité. Votre dignité est votre fierté. Pour être fier de vous, il faut être conscient de votre dignité chaque jour de votre vie. Soyez fier de pouvoir vivre une autre journée que vous choisirez de créer et de vivre à votre image. Plus vous serez fier, plus vous serez patient avec vous-même et plus la dignité prendra sa place en vous.

« E » pour Expérience. Vos expériences vous transformeront à l'intérieur de votre *être*, dans votre âme. Lorsque vous décidez de partir de votre intérieur, de voir et de sentir la valeur dans chaque expérience vécue, les leçons de vie vous feront grandir.

« A » pour Alléger. Allégez votre vie! Soyez moins dur avec vous et donnez-vous le droit de prendre soin de vous, l'ingrédient d'amour de soi le plus bénéfique.

« A » pour Action. Action, action et action! Ne remettez plus à demain ce que vous pouvez faire aujourd'hui même. Vos actions doivent toujours partir foi le plus souvent possible.

« G » pour Gratitude. Ne laissez plus rien au hasard. Faites preuve de gratitude envers tout ce que vous entreprenez, car cela vous prouve que vous êtes en vie. L'acquisition de l'être extraordinaire que vous êtes est terminée, car la gratitude est votre mot-clé pour vous apprécier davantage.

« I » pour Insister. Comme vous êtes la clé du succès, vous devez insister davantage pour réussir votre cheminement personnel. Vous devez souligner vos forces et vous vous apercevrez qu'il y a beaucoup de persévérance dans votre vie.

« R » pour Rebondir. Cessez de tourner en rond dans vos vieilles habitudes, et faites le choix de rebondir dans votre vie. Vous participerez ainsi au défilé plutôt que de le regarder passer en vous disant : « J'aurais dû en faire partie! » Rebondissez comme vous ne l'avez jamais fait jusqu'à maintenant. À vous l'avenir!

Témoignage de Serge Cardinal

Certains événements de ma vie m'ont marqué et mes perceptions par rapport à ceux-ci ont forgé la personne que je suis aujourd'hui. Ces perceptions et expériences m'ont empoisonné l'existence et ont créé en moi un vide intérieur et un mal de vivre. J'ai longtemps cherché ma grande paix intérieure à l'extérieur de moi. J'ai tenu les autres responsables de mes malheurs. Mon manque de communication et ma peur de déplaire aux gens ont fait de moi un homme portant des masques et ayant peur de s'affirmer pour ne pas blesser les autres.

Lors des épreuves difficiles de ma vie, je me suis toujours abandonné. J'ai commencé à me questionner à savoir s'il n'existait pas de formation qui pourrait m'aider à apaiser cette sensation tellement inconfortable à l'intérieur de moi. Je manquais de courage pour faire ce voyage intérieur, source de mes souffrances et de mon mal de vivre.

J'ai donc commencé à participer à des ateliers intensifs de ressourcement et d'introspection, une démarche qui m'a permis de prendre conscience que je suis le seul artisan de mon bonheur et que toute expérience vécue à l'extérieur constitue une leçon qui permet d'avancer.

Tout est question de perception et j'étais doué d'une imagination très fertile pour m'inventer des scénarios dignes des plus grands films d'horreur. Les activités avec mon père étaient plutôt rares. Nous nous lancions la balle à l'occasion et il faisait toujours exprès pour me faire mal et me faire pleurer pour me dire ensuite qu'un homme, ça ne doit pas pleurer. Vers l'âge de 8 ans, mon père m'avait promis de m'amener à la chasse. La veille, il m'avait fait préparer toutes les choses nécessaires pour le jour J et j'avais eu de la difficulté à dormir tellement j'avais hâte. Le matin venu, il est parti sans me réveiller... Mon petit cœur d'enfant était brisé et je me haïssais tellement de ne pas m'être réveillé par moi-même. Je me suis isolé et j'ai passé ma peine. Quand il est revenu, il ne m'a donné aucune explication ni excuse. J'ai senti que je n'en valais tout simplement pas la peine.

La violence verbale a commencé à vraiment me paralyser vers l'âge de 11 ans. Lors de la période d'entraînement au hockey, je performais assez bien pour me faire remarquer par les instructeurs de l'équipe élite. J'ai donc été invité à me joindre à leur équipe, mais comme je ne voulais pas quitter mes amis, j'ai décliné leur offre. Il s'en est suivi une série d'appels téléphoniques de la part des instructeurs qui sont venus me chercher chez moi pour m'amener manger au restaurant et tenter de me convaincre d'accepter leur offre. Leurs arguments étant plutôt convaincants pour un gamin de mon âge, j'ai signé le contrat! WOW! De retour à la maison, mon père, accompagné d'un ami que je respectais beaucoup, ont tous deux semé un doute dans ma tête en disant que je les avais trahis... Ensuite, après avoir pleuré une partie de la soirée, l'homme me dit que j'ai fait le bon choix et qu'il aurait fait le même pour son fils.

À ce moment-là, j'ai eu le sentiment que toute joie devait être accompagnée d'une peine profonde et que, peu importe la décision que je prendrais, ce ne serait jamais la bonne. J'ai vécu l'abandon très jeune et mon réflexe, pour supprimer cette émotion, a été de tout faire pour plaire aux gens de mon entourage et pour me faire aimer. J'ai développé de multiples peurs : peur des gens, peur des foules, peur d'être ridiculisé.

À l'adolescence, j'avais toujours ces peurs, surtout la peur de déplaire et de ne pas être à la hauteur. Au collège, j'étais solitaire et je manquais de plus en plus de confiance en moi. J'avais de la difficulté à rester en place pendant les cours et je n'arrivais plus à me concentrer. Je commençais à sécher mes cours et l'école ne m'intéressait plus du tout. Mes notes chutaient drastiquement.

Ce n'était pas le manque d'intelligence, mais plutôt un mal de vivre et une insécurité incommensurable. Je ne me sentais bien nulle part et j'avais la sensation de ne pas contrôler mon corps. Je devenais la tête légère comme si j'allais m'évanouir. J'étais vraiment découragé.

J'ai commencé à jouer de la guitare basse avec un ami et nous avons formé un groupe. Je pratiquais beaucoup et j'aimais vraiment cela. Après quelques mois de répétitions dans son sous-sol, nous devions faire une prestation à l'école devant tous les étudiants. Avant le concert, j'avais l'estomac noué, tellement le stress était grand, et le goût de vomir à cause de ma peur. L'heure du concert arrivée, tout le monde me cherchait : je m'étais isolé dans les toilettes, tout en sueur et pâle. Le concert a commencé, mes mains et mon corps entier tremblaient, je suis parvenu à me raisonner et à me rendre jusqu'à la fin du concert. Pendant plusieurs années, le même scénario s'est répété avant chaque performance, un moment très éprouvant, physiquement et mentalement.

Épuisé de vivre ce malaise et ne comprenant pas ce qui se passait en moi, j'ai décidé d'aller consulter un médecin.

J'ai rassemblé tout mon courage pour écrire en quelques points le mal de vivre que je ressentais, les sensations terribles que j'éprouvais dans mon corps. Je lui ai donc énuméré mes symptômes et lui ai demandé ce qui pourrait en être la cause. J'ai même cru que ma commotion cérébrale, survenue plus jeune, pouvait expliquer mon malaise. Le médecin m'a regardé dans les yeux et m'a dit : « Tu es venu me voir pour ça ? » À partir de ce moment, je n'en ai plus jamais reparlé. J'ai vraiment eu l'impression de l'avoir dérangé, d'avoir pris la place de quelqu'un qui était vraiment malade. J'en ai déduit qu'il n'y avait rien à faire pour ma situation, que j'étais ainsi fait et que je devrais vivre ainsi pour le reste de ma vie.

Mon travail exigeait que je suive des formations et c'était toujours le même scénario : sentiment d'inconfort et incapacité à me concentrer. J'avais au moins la chance d'apprendre assez rapidement. Quand je devais faire une présentation, j'en avais mal au cœur, mon corps se crispait, je me sentais jugé et inférieur, car j'avais peine à livrer mon message. Jeune adulte, j'ai appris à vivre avec ce malaise quotidien.

Je me suis marié à 24 ans parce que mon épouse le voulait. Moi, ça ne me disait rien, surtout que je savais combien cette journée serait l'enfer pour moi émotionnellement. Je ne voulais surtout pas d'un gros mariage. Nous avons donc invité une quinzaine de personnes, et même ce petit groupe était trop pour moi. Quelques jours avant le mariage, j'étais déjà assailli de nausées et de migraines. Au travail, je savais qu'il y aurait une petite fête pour l'occasion et je n'y suis pas allé de peur d'être le centre d'attraction. J'ai encore inventé des histoires pour fuir les situations inconfortables. Lors de la cérémonie, j'ai senti une grande chaleur monter en moi, suivie de nausées, et je me suis évanoui. Après avoir repris mes sens, nous avons pu terminer la cérémonie. Heureusement que nous avions décidé de ne pas organiser de soirée.

J'ai porté des masques durant toute ma vie, pendant ma relation avec ma conjointe qui a duré 18 ans et dans les relations qui ont suivi. Je n'ai jamais eu une communication authentique. À bien y penser, je n'ai jamais eu de communication. Il y a une quinzaine d'années, j'ai commencé à chercher un moyen pour parvenir à être moi-même. J'ai assisté à des conférences, participé à des ateliers, lu beaucoup de livres de croissance personnelle, fait plusieurs petits pas, jusqu'à me sentir de mieux en mieux. L'année dernière, j'ai suivi un atelier intensif où je me suis beaucoup investi. J'ai poursuivi mon cheminement en participant à des groupes d'hommes, en m'investissant pleinement dans cette recherche pour trouver une solution à mon mal de vivre.

De dépassement en dépassement, j'ai appris à me faire confiance, j'ai continué à participer à des ateliers à titre d'intervenant. Je me suis donné à 100 % chaque fois et les membres de ce projet d'écriture m'ont soutenu et encouragé. Je me sens bien, je commence à m'aimer de plus en plus et à gagner de la confiance. Je prends de plus en plus ma place.

Lors d'un atelier, j'ai réalisé un autre grand dépassement en faisant un petit partage devant un groupe d'une cinquantaine de personnes dont mon fils. Je suis fier de moi.

Un des moments marquants de mon cheminement est survenu récemment lorsqu'une participante m'a demandé d'être vraiment authentique, ce qui m'a permis de m'ouvrir pour la première fois. Je lui en serai éternellement reconnaissant. Après tant d'années de souffrance et d'isolement, j'ai trouvé le bonheur en moi et non à l'extérieur.

Témoignage de Sylvie Pelletier

Que de sensations, d'émotions différentes en moi : je suis confuse, je me bats sans arrêt contre moi-même à savoir si je fais bien ou pas de me dévoiler. Tout mon corps réagit, je veux m'ouvrir, mais il y a tout un combat qui se livre en moi. Je veux parler, mais j'ai cette boule qui me monte dans la gorge et qui me serre si fort. J'étouffe. Je veux verbaliser toute cette souffrance gardée en moi depuis si longtemps, mais j'ai peur de blesser les gens que j'aime, car beaucoup de choses n'ont jamais été dites. C'est tellement profond. Mais aujourd'hui, j'ai besoin de dire les blessures qui m'ont empêchée de vivre pleinement ma vie. J'ai toujours cette sensation de ne pas oser être moi, j'ai peur, je me fais peur. Même en tant qu'adulte, j'ai peur d'être en relation avec les gens, car j'ai peur de perdre, peur d'avoir mal, peur de ne pas être à la hauteur, peur de me dévoiler et qu'après, on s'en serve pour m'écraser.

Que de dommages en moi! Résultat : je ne sais pas qui je suis vraiment ni ce que je veux. J'ai toujours ces peurs qui m'envahissent quand j'ose m'exprimer. J'ai peur du rejet, peur de déplaire, peur de déranger, peur de perdre, peur de ne pas être à la hauteur... Comme c'est lourd à porter! Je me suis enfermée dans mon corps, dans mon esprit, mais aujourd'hui, je veux crier, comprendre qui je suis vraiment, mais je suis en perpétuel combat avec tout mon être.

Je viens d'une famille unie, j'ai un grand frère de deux ans mon aîné. J'ai été une enfant désirée, mais je ne suis pas arrivée au bon moment, car mes parents avaient des problèmes financiers. Le sentiment de ne pas déranger, de m'effacer, de ne pas demander plus que ce qu'on me donnait a toujours été très présent en moi. À l'âge de quatre ans, un incendie a détruit notre maison et j'ai eu vraiment peur de perdre ma meilleure amie. J'étais triste d'avoir perdu plusieurs jouets et vêtements, mais j'ai dû être raisonnable et comprendre que mes parents ne pouvaient pas tous les remplacer.

Mon père était très présent pour moi, comblant mes besoins affectifs, jouant avec moi, me berçant et prenant le temps de m'écouter. J'avais une bonne maman qui s'occupait bien de nous, mais elle était peu démonstrative : plutôt autoritaire et contrôlante.

À l'âge de six ans, je me suis fait voler mon innocence en subissant ma première agression sexuelle au retour de l'école. J'avais désobéi à ma mère en parlant à un inconnu. J'avais tellement peur en prenant conscience des gestes malfaisants que l'individu posait, que je me suis sentie sale. J'avais peur de me faire disputer à cause de mon retard, j'avais peur de la réaction de ma mère. J'ai été incapable de dévoiler ce qui s'était passé. J'étais figée par le regard réprobateur de ma mère qui s'était inquiétée, mais moi, elle m'a fait peur. Mon père a pressenti qu'il s'était passé quelque chose d'anormal et il m'a protégée du mieux qu'il a pu. Il n'a jamais su ce qui s'était réellement passé, car j'ai enfoui en moi toute cette peur et cette honte de m'être laissée toucher par cet inconnu.

À l'âge de sept ans, mon père est hospitalisé quelque temps. Mon monde à moi, ma référence, mon protecteur n'est plus là : je suis déboussolée. Quand il est revenu à la maison pour Noël, il n'était plus le même : on ne devait pas faire de bruit ni rien lui demander afin de lui permettre de se reposer. À mes yeux d'enfant, il semblait bien aller et il recommençait à être mon papa attentionné, qui voulait me faire plaisir. Quand il m'a demandé ce qu'il pouvait faire pour me plaire, je lui ai répondu que j'aimerais qu'il décore les murs de ma chambre. Je n'ai jamais autant regretté cette demande, car il est décédé durant la nuit qui a suivi la fin des travaux. Je m'en suis tellement, mais tellement voulu, car j'avais le sentiment profond d'être responsable de sa mort à cause de la demande que je lui avais faite. Le lendemain matin, quand ma mère nous a annoncé sa mort, je ne comprenais pas vraiment, convaincue qu'il rentrerait un peu plus tard. J'ai même joué avec mes amis à l'extérieur.

Les jours qui ont suivi étaient surréalistes : je ne comprenais pas ce qui se passait. Il y avait tellement de va-et-vient à la maison : tantes, oncles, cousins, cousines, tous venus de loin, adultes en pleurs et enfants qui jouent innocemment. Pendant toute cette période, je n'ai jamais vu ma mère pleurer. Elle nous répétait qu'on allait s'en sortir, qu'il fallait être forts et sages. Je ne voulais surtout pas désobéir à ma mère : j'avais fait assez de mal. Je n'arrivais pas à croire que je ne reverrais plus mon père, je pensais qu'il avait besoin de repos et qu'il rentrerait à la maison ensuite. J'ai compris la pleine mesure de son départ que le jour de son enterrement, en entrant dans l'église. Mes compagnons de classe de deuxième année étaient à droite et l'église était pleine de gens que je connaissais : famille et amis au visage défait, et un cercueil dans l'allée principale. Et cette odeur d'encens et d'œillets... J'ai encore de la difficulté à sentir ces odeurs, des odeurs que j'associe à la mort, à la souffrance, à la douleur, au cri. Mon Dieu que ces odeurs ont laissé des traces dans mon corps. Ensuite, quand est venu le temps de mettre le cercueil en terre, la douleur était insupportable, mais je devais être forte et assumer. C'est à ce moment que j'ai pris ma peine, ma souffrance, ma colère et que j'ai enfoui tous ces sentiments loin en moi, si profondément. Que de ravages ils ont faits en moi!

Toute cette souffrance m'a conduite vers la noirceur et l'indifférence dirigée contre moi. Une longue descente aux enfers s'est amorcée. J'ai subi deux autres agressions sexuelles par des individus en qui j'avais placé ma confiance, des agressions physiques et verbales aussi. J'avais l'impression de n'être à la hauteur de rien. Un jour, j'ai ressenti le besoin d'ouvrir le fond de ma caverne, de couper mes vieilles racines pour en laisser de nouvelles germer. J'ai ressenti un besoin de vivre, de sentir et de me permettre d'être moi sans me juger, un besoin de vivre et de ressentir le bonheur. Il est enfoui quelque part et je sais qu'il est là, attendant que je lui ouvre mon cœur, que j'enlève tout ce mal que je me suis fait en ne m'exprimant pas.

J'ai besoin d'air, j'étouffe, je veux dépasser toute cette souffrance, mais il manque de place. Tout se bouscule, tout veut sortir, mais je ne comprends plus rien. Des sentiments, des odeurs, des sons, tout remonte... « Aidez-moi à tout gérer, j'ai peur, j'ai mal, je n'ai rien de rationnel, mon Dieu ! »... Mon corps est en train de me lâcher! Ça n'a aucun sens, je ne peux rien expliquer, j'ai mal à l'intérieur, là où se trouvent mes mots, ils se confondent. Des larmes, des larmes, ça ne fait que couler. Je me prends dans mes bras et je me berce.

Je suis responsable de ma douleur intérieure, de ma souffrance, car je n'ai pas pu la vivre en temps et lieu, je ne me le suis pas permis, car la douleur était trop vive. Mais aujourd'hui, j'en paie le prix, car la douleur s'est emmagasinée en moi jusqu'à m'étouffer, j'ai de la difficulté à respirer tout ce mal que je me suis fait, toute cette violence subie : agressions sexuelles, verbales, physiques et psychologiques. La douleur de perdre des êtres chers, la douleur de perdre, la douleur de ne pas être à la hauteur. Cette sensation est toujours présente en moi et j'ai peur de tout assumer cela, car j'ai pris une mauvaise décision. J'ai peur de demander, car j'ai peur de perdre.

Je veux pouvoir m'écouter et vivre sans me juger, je veux être moi, juste moi, avec mes défauts et mes qualités. Je veux être présente pour ma famille et moi, je veux pouvoir exprimer toute cette souffrance enfouie. Je veux détruire cette caverne et me rendre ma liberté. Mon intérieur tremble et brûle, je dois lâcher prise, la douleur est très forte. Je veux la vivre, mais je me sens sortir et me mettre à côté, en observation.

Je prends mon souffle, mais je reviendrai finir le nettoyage de ma caverne. Je laisse la porte ouverte pour être certaine de ne pas perdre la clé. Le chemin est devant moi, il ne me reste plus qu'à le suivre et à me faire confiance.

REBONDIR

Les 32 auteurs inspirants de ce livre vous transmettent tout l'espoir qui les habite pour vous faire prendre conscience que vous avez le droit d'être heureux, même en étant habité par des épreuves. Ces personnes ont rebondi de façon simple et divine en décidant de transformer l'ordinaire en extraordinaire. Ces 32 personnes ont décidé de changer leur croyance voulant que la vulnérabilité ne concerne que les faibles; ils savent maintenant que la vulnérabilité agit comme une force inestimable pour leur santé affective. Ce sont des gens provenant de tous les milieux, qui se sont donné accès à eux-mêmes pour rebondir dans la foi et le dépassement, jour après jour. Vous, qui avez osé lire ces témoignages jusqu'à la fin, démontrez que vous souhaitez également rebondir dans votre vie en vivant de nouvelles expériences qui favoriseront la création de votre vie.

Rebondir dans la direction de l'amour de soi exige des choix conscients : vous donner le droit d'exister, de prendre votre place, de vous sentir apprécié et important. Rebondir exige de VOUS choisir dans tous les domaines de votre vie. Rebondissez dans l'honnêteté de soi en ne vous mentant plus, ni en vous disant que tout va bien. Enlevez vos masques pour vous donner accès à votre sensibilité et à votre vulnérabilité. Cet accès peu fréquenté est le chemin le plus juste qui soit pour découvrir l'amour de soi. Vous n'avez plus de temps à perdre avec des solutions *fast-food*. Prendre le temps de vous aimer davantage sera un chemin possible que grâce à votre force intérieure qui ne demande qu'à rebondir. Demandez à votre Dieu de vous envoyer les gens qui pourront vous aider à cheminer. Soyez alerte, car tout ce que nous demandons se réalise. Parfois, cela arrive d'une façon différente de celle qu'on attendait, mais c'est pour vous faire grandir dans l'amour de soi.

Est-ce que vous achèteriez de la drogue à votre enfant? Votre Dieu, tel que vous le concevez, ne vous donnera pas quelque chose qui peut vous nuire, car Il vous aime. N'oubliez pas que Dieu n'est pas une machine distributrice : vous devez bâtir une relation avec Lui, une relation gagnant-gagnant. C'est bien de recevoir, mais nous devons apprendre à donner sans vouloir quelque chose en retour. Je vous suggère de prier, d'avoir de la gratitude pour tout et de vous aimer dès maintenant. Dieu est notre père et Il veut que son enfant s'aime.

Rebondir dans la foi est le geste le plus grand que vous puissiez faire pour vous et vos proches.

Témoignage de Josée Dufault

Dans l'ombre du masque...

« Il y a quelqu'un dans ma tête, mais ce n'est pas moi... » *Brain Damage, Dark Side Of The Moon*, Pink Floyd.

En quête de la véritable personne en moi, je suis arrivée à des croisées de chemins et j'ai pris les routes qui m'ont permis de masquer ma véritable identité. Le bal masqué de ma vie tournait et tournait, les personnages dansaient de plus en plus vite. En 2012, j'ai fait la connaissance de **Zoé**. Au début, ses visites n'étaient que des chuchotements presque indiscernables. Mais de plus en plus, son écho me tenait compagnie. Puis, ce fut suivi de pas que j'entendais dans la maison. Mon expérience avec l'insomnie m'a démontré que nos peurs ne résident souvent que dans notre imagination. Je n'aurais plus jamais raison! Les pas sont devenus des sons. Les sons sont devenus des voix jusqu'à ce qu'une voix s'élève plus que les autres. De honte et de peur, j'ai utilisé mes forces pour étouffer cette voix et faire comme si de rien n'était. Mais je la retrouverais plus tard, par nécessité de survie, tel le confort d'un vieil ami, car il me faudrait revêtir le masque de mon enfance : faire comme si tout allait bien, me protéger du stigmate et du monde extérieur. Mais qu'arrive-t-il quand on étouffe un volcan? Peu à peu, sous la pression du bâillon, les chuchotements deviendraient des cris qui exploseraient sur les murs. Quelques jours plus tard, je serais confrontée aux dégâts et des cicatrices se sculpteraient sur mes bras. Mon conjoint me présenterait avec des photos d'un miroir marqué à plusieurs reprises de sentiments de mort, de haine et de suicide... tous signés **Zoé**!

« Ceci est ta vie et elle prend fin une minute à la fois. Si tu te réveilles en un autre temps, dans une autre ville, pourrais-tu te réveiller en une autre personne ? » *Fight Club*, Chuck Palahniuk.

J'étais prisonnière. La peur et la honte s'étaient emparées de moi et je me réveillais chaque nuit en sanglots pendant plusieurs mois. Suite à des examens et des suivis prescrits par mon médecin de famille et un psychiatre, j'ai reçu un diagnostic de troubles de personnalité limite. Quelle honte d'être ainsi étiquetée avec le stigma de troubles mentaux. Je n'aurais jamais cru que ce serait, en fait, l'élément déclencheur qui viendrait faire basculer ma vie!

« J'ai le regard fixe, hagard et j'ai une furieuse envie de m'envoler, mais je n'ai nulle part où aller ! » *Nobody Home*, Pink Floyd, *The Wall.*

Le mois d'août a été énormément pénible pour moi. Je vivais ma vie difficilement, un moment à la fois. J'existais à peine entre les rendez-vous médicaux, le stress de rebâtir ma vie et la honte de ce que j'étais devenue. Ma souffrance n'était visible que pour mes proches qui se chargaient de m'aider à porter mon fardeau. Ma belle-sœur m'a invitée un soir à assister à une conférence en croissance personnelle. J'étais réticente au fait de m'assujettir au tourment de raconter mon histoire encore une fois, mais j'ai décidé de m'y rendre quand même, me disant que je n'avais absolument plus rien à perdre! Je ne me souviens plus de ce qui m'a poussée dans cette direction, mais je lui en serai à tout jamais reconnaissante.

« Pas de bras pour me caresser. Pas besoin de drogues pour me calmer. Ai-je vu l'écriture sur le mur? Non! Je n'ai besoin de rien du tout! De toute façon, tu n'étais qu'une autre brique dans le mur... De toute façon, tu n'es qu'une autre brique dans le mur. » *Another Brick in the Wall Part 2*, Pink Floyd, *The Wall.*

Ce soir-là, la lumière s'est allumée en moi! C'est ainsi qu'a débuté mon cheminement. Comme les feuilles dans le vent d'automne, j'ai senti finalement mon masque s'égrener peu à peu... Ce n'est qu'avec la corde en main que je me suis laissé guider par un papillon, un ami qui m'a permis de faire la paix avec mon passé, qui m'a permis de voir que mon visage était plus beau que le masque qui le recouvrait.

Les ateliers en croissance personnelle m'ont littéralement sauvée! La semaine précédente, la peur, le doute, la honte et l'incertitude peuplaient mes pensées. Mes démons enragés ont déclaré la guerre à la fillette et à sa nouvelle flamme. Leurs mots étaient des lances et ils saccageaient mes pensées et mes soucis les plus anciens. Serais-je jugée? Serais-je encore une fois abandonnée par ceux à qui j'avais fait confiance? Mon corps porterait-il encore une fois des marques de violence? Je me questionnais sur la pertinence de participer à ces ateliers intensifs. Ne valait-il pas mieux poursuivre ma vie pitoyable et en finir une fois pour toutes? Le vendredi, avant de m'y rendre, j'avais tout planifié pour réussir mon suicide. Si l'atelier ne fonctionnait pas, je passerais à l'acte! J'ai ouvert la lourde porte de ma maison et laissé échapper un soupir. J'ai fait un grand pas en avant et, le cœur pesant, j'ai fermé la porte... possiblement pour la dernière fois.

C'est ce cheminement personnel qui m'a finalement dévoilé que j'avais toujours eu en moi la force de briser les masques et de retrouver le bonheur. Si l'on veut obtenir des choses que l'on n'a jamais eues, il faut être prêt à accomplir des choses que l'on n'a jamais accomplies. Comme l'a dit Bob Marley : **« On ne sait jamais à quel point on peut être fort, jusqu'au moment où l'on n'a nul autre choix. »**

Lors des ateliers, les concepts étaient simples à comprendre, mais très difficiles à mettre en pratique. Ils m'ont permis de travailler sur moi-même tout en étant bien entourée au moment du déclenchement de mes réactions. J'ai pris conscience que je n'avais jamais été seule dans ma vie, seulement seule en moi-même. Avec les partages, l'amour, le sentiment de sécurité et la coopération des intervenants et de certains participants, mes lèvres se sont enfin ouvertes! En affrontant mes plus grandes peurs, une immense libération s'est créée en moi. Mes peines, mes hontes et mes joies se sont enfin libérées de la prison où je les avais confinées! Je me suis mise à creuser et creuser, à la recherche de mon masque. Couverte de larmes, debout dans ce gouffre où j'avais construit ce mur de misère, je me suis mise à le briser, brique par brique, souffrance par souffrance, libérant les sentiments refoulés que j'avais si longtemps cachés derrière ce mur.

J'ai pris conscience des dépendances affectives que toutes les blessures du passé avaient générées en moi. Accompagnée par les intervenants, j'ai dû vaincre de nombreux déluges d'émotions fortes. J'ai soudainement perçu un espace en moi où résidait ma force, c'est ce qui m'a sauvé la vie.

Cette force se retrouve non seulement dans la construction de notre caractère, mais aussi dans l'inclusion de nos imperfections. J'ai donc décidé de me dépasser davantage et de donner au suivant en m'impliquant comme intervenante. Je me suis promis de respirer, de ressentir mes peurs et d'exister.

Depuis mon enfance, j'avais erré sur cette terre, la tête cachée derrière un masque, aveuglée par mes douleurs et celles d'autrui.

Aujourd'hui, à 37 ans, je suis consciente que le masque forgé dans ma jeunesse par tous les abus, les rejets et les abandons, qui autrefois donnaient sens à mon exil, fait maintenant partie de mon identité.

Des modèles de vie s'étaient établis et avaient érigé mon mur de briques. Avec les outils acquis dans mon cheminement personnel, mon masque est finalement démoli! Je me suis rebâti une bonne fondation avec les briques de mon passé. Il est solide! Je suis solide! Certes, je ne peux prédire ce que la vie me forcera à affronter, mais j'ai confiance en moi.

Armée des techniques et passions que les ateliers ont réveillé en moi, je suis prête à affronter tous les coups durs. Je peux maintenant porter une robe sans m'encombrer de peur et de honte. Petit à petit, je me regarde dans le miroir et je suis capable de voir en moi une beauté féminine qu'il n'y avait pas dans le passé. J'apprends à reconnaître que je suis authentique, que je suis une bonne mère pour mon garçon et un amour exceptionnel pour l'homme de ma vie.

J'apprends chaque jour à accepter et à valider mes émotions, à les partager et non à les refouler. J'apprends à croire en moi et à éprouver de la gratitude pour la vie!

Pour moi, le bal masqué est terminé. J'ai en moi, dans un coin de mon âme, une place spéciale où je garde mon masque. Il me rappelle qu'il n'y a jamais d'ombre sans lumière, que chacun de mes obstacles, peu importe l'ampleur, sera toujours suivi par la possibilité d'y puiser de la force.

Après tant d'années de souffrance, d'abus et d'isolement, je peux finalement dire que je suis plus sereine. J'ai passé ma vie à la recherche d'une vérité, une vérité tout simplement cachée, depuis toujours, en moi!

Un sage a déjà dit que ce qui se retrouve sur les chemins derrière nous, et ce qui se trouvera sur les chemins devant, n'est rien comparativement à ce qui se retrouve en soi. Ma route continue. Une fillette de six ans poursuit son chemin, éclairée par une flamme et guidée par un papillon.

Témoignage de Mi

Et si l'amour était le plus fort…

Par où commencer? C'est la question que je me suis répétée cent fois. Qu'est-ce qui m'a menée où je suis actuellement? Le parcours a été long et parfois même, très douloureux. Mes souvenirs sont lointains, cachés au fond de ma mémoire dans un tiroir fermé à double tour et j'ai longtemps cru que j'avais délibérément lancé la clé dans un puits sans fond pour ne pas brasser et brouiller l'eau d'apparence calme… Mais cette eau d'apparence calme était en réalité remplie de sables mouvants qui me tiraient vers l'enfer. Je connais maintenant la cause. À force de creuser à l'intérieur de ma mémoire, j'ai retrouvé la clé que j'ai placée dans la serrure du tiroir… et lentement, j'ai osé tourner cette clé rouillée et j'ai pu constater que le tiroir s'entrouvrait… J'ai tremblé à l'idée d'apercevoir ce qu'il contenait. J'ai ragé, j'ai pleuré, j'ai refermé… Je me suis mise en mode survie. Il fallait *fonctionner* et faire mon devoir, être forte et responsable, m'endurcir et laisser de côté toute *sensiblerie*… Assez de pleurnichage sur mon sort, il y a pire! Cette attitude a perduré pendant des années et ça m'arrangeait. Ça faisait aussi l'affaire de bien des gens autour de moi. « Elle est forte et courageuse, elle s'en sort… ». Mais voilà, je m'enlisais un peu plus de jour en jour. Mon estime personnelle, ma confiance en moi, mon identité ont été très mal servies par la carapace et les masques de cette « femme forte et indépendante, de cette mère de trois enfants, courageuse et aimante qui tient tout à bout de bras, inlassablement. » C'est bien le portrait que j'ai montré à mon entourage et j'ai très bien réussi!

Un drame, un TSUNAMI, s'est abattu sur ma famille. Le voile se lève péniblement et nous entendons ce mot résonner et marteler notre cœur… difficile à prononcer encore aujourd'hui, je choisis ici de ne pas l'écrire. Je ne veux pas donner de pouvoir à ce mot tellement violent, par amour pour les miens. Notre vie s'écroule. Trahison, abandon, rejet, injustice, violence, déflagration, bombe, néant! Commence alors une longue descente aux enfers : honte, culpabilité, vengeance, isolement, peurs, dépression, idées suicidaires, et j'en passe. Mon ex-conjoint, le père de mes trois enfants, sera très présent et nous soutiendra. Il est avec moi, je le sens à l'écoute de ma propre souffrance, respectueux et rempli de compassion pour les enfants et moi. Je sens aussi sa colère et sa propre souffrance devant cette abomination. J'aurais pu me perdre, mais grâce au soutien infatigable de mes frères et sœur, beau-frère et belles-sœurs, je resterai à flot.

Nous sommes en mode *pilote automatique* et nous nous branchons sur un respirateur artificiel pour ne pas sombrer... Ma vie n'a plus aucun sens, sauf celui de combattre, en soldat déchaîné et déterminé, dans cette guerre à finir et à gagner par le sang! Telle une louve enragée, je suis prête à TOUT pour protéger ma meute! Je me tue à petit feu en continuant de m'empoisonner avec tout ce que je peux ingurgiter pour remplir ce trou sans fin au creux de mes entrailles. Je suis anéantie! Je sens ma douleur dans le fond de mes tripes, au creux de mon utérus, mais je dois soutenir mes filles et mon fils et TOUT faire pour qu'ils ne se perdent pas. J'ai peur de sombrer dans le désespoir et qu'ils sombrent avec moi. Ma douleur est trop grande, je suis paralysée, au point de ne plus rien sentir, sauf le besoin de vomir cette trop grande souffrance et de pouvoir enfin ressentir au creux de mon estomac, un vide, le vide de mes souffrances.

Des gens placés sur ma route m'accompagneront durant toutes ces années pour m'aider à panser mes blessures et me faire voir miraculeusement la lumière au bout de cet interminable tunnel. J'apprivoise tranquillement cette lumière aveuglante et je m'en approche lentement. Mon cheminement sera long et ardu jusqu'à aujourd'hui. Mais grâce à tous ces anges humains envoyés par Dieu, qui ne cessent de m'accompagner depuis le début de ce très long parcours, je suis presque sortie de ce labyrinthe sans fin.

C'est en novembre 2012, lors d'un atelier intensif de croissance personnelle, que j'arrive à la croisée des chemins. Je me crois guérie et en paix avec ce passé douloureux, mais ma vie m'attend là. C'est un véritable choc! Je suis littéralement frappée par toute ma souffrance qui refait surface! Cette rencontre avec moi-même sera la plus importante de toute ma vie et pourtant, j'en ai fait bien d'autres rencontres avec moi-même! J'ai plongé dans les profondeurs de mon être, avec tout mon cœur! J'y ai retrouvé la petite fille recroquevillée, la jeune fille mal dans sa peau, la jeune femme inquiète, la femme fragile. J'y ai vu l'enfant blessée, et avec tendresse, je l'ai prise dans mes bras et je l'ai bercée sur mon cœur de maman! Je lui ai tenu la main et ensemble, nous avons fait un long chemin, accompagnées par les *anges des ateliers* et la Grâce Divine! Cette chaude lumière, je l'ai vue et ressentie ! Cette petite fille a enfin pu s'exprimer au grand jour et crier sa douleur trop longtemps enfermée dans le tiroir de sa mémoire.

Durant tout le cheminement que j'ai fait à travers les thérapies, avec les merveilleuses personnes de ma famille spirituelle, après plusieurs ateliers comme intervenante durant lesquels j'ai creusé davantage au fond de moi, je comprends maintenant que le pardon est la clé qui m'a permis d'enfin ouvrir tout grand le tiroir de mes blessures et de les regarder bien en face, de les accueillir et de les guérir, une à une, avec courage, détermination et amour. Le pardon, je l'ai fait et je le refais un peu plus profondément chaque jour, sans jamais oublier pour autant. Je me souviens. Jamais je n'oublierai.

Le pardon, je l'ai fait pour me libérer de ce mal qui m'a grugée pendant toutes ces années, je l'ai fait pour voyager plus léger. Je me suis choisie et je veux être libre et en accord avec mes valeurs.

Aujourd'hui, dans toute ma longue démarche, je comprends aussi que le fait d'avoir pardonné a créé beaucoup de place et que mon vide intérieur se remplit graduellement. Au fond du tiroir de ma mémoire, j'ai découvert tout un album de beaux et bons souvenirs enfouis et écrasés par mes blessures! Quel bien-être ressenti à me les rappeler et à les partager!

Je ne suis plus une victime! Je suis une femme! Je sors de mon cocon! De chenille, je deviens papillon! Je suis de plus en plus sereine! Je me transforme grâce à l'Amour inconditionnel! Je me sens plus belle, je retrouve lentement ma féminité! Je prends soin de moi, je me mets en forme, je refais mon sourire pour rire à pleines dents, je vais chez le coiffeur, je m'habille et me maquille sans peur d'attirer les regards. J'ose croire que j'ai le droit et que je mérite que l'amour vienne à ma rencontre et qu'un homme entre dans mon cœur!

J'avance sur le chemin de ma vie. Il m'arrive de trébucher, de retourner sur les sentiers escarpés de mon passé, mais je ne suis plus seule. Il y a toujours quelqu'un qui me tend la main et m'aide à reprendre la route. Les jours de tempête, je me mets à l'abri et je sais maintenant que le soleil va briller de nouveau. J'admire le paysage et le ciel qui s'étend à l'infini et je dis merci à la Vie ! J'admire mes enfants et petits-enfants et je remercie Dieu de m'avoir choisie pour être leur mère, leur grand-mère! Leur amour m'a aidée à me relever et à me tenir debout pour mieux les accompagner sur leur propre chemin!

J'ai trouvé ma nouvelle mission de vie grâce à mon nouveau réseau. Je suis engagée au sein de cette belle famille de gens extraordinaires qui se sont choisis et cheminent afin d'être des témoins inspirants pour tous ceux et celles qui arrivent à la croisée des chemins et qui souhaitent se dépasser et faire la paix avec leurs souffrances pour ainsi reprendre la route de leur destinée, plus confiants et sereins, dans l'amour de soi et de l'autre!

Je choisis de repeindre ma vie avec de nouvelles couleurs!

Je choisis le nouveau tableau de ma vie!

Je choisis de nouvelles lunettes pour regarder autour de moi!

Je choisis de me regarder avec les yeux de l'amour!

Je choisis d'être tendre envers moi et
de me prendre dans mes bras!

Je choisis de m'accompagner dans cette quête!

Je choisis, un pas à la fois, un jour à la fois,
avec sérénité et espoir!

Je choisis de me faire confiance!

Je choisis le bonheur, je crois au bonheur!

Je réussis avec l'aide de mon Créateur!

Aujourd'hui,
je me choisis et
je déclare que je suis la personne
la plus importante de ma vie!

CONCLUSION

Ce livre constitue une grande richesse, l'héritage de 32 personnes qui ont décidé de briser le silence et de sortir de l'isolement pour être en mesure de créer une vie plus harmonieuse et avoir une plus grande confiance dans la Source divine qui les habite.

Ce petit miracle s'est concrétisé grâce à nos intuitions. Notre Source nous a soufflé, à l'intérieur de notre âme, cette idée inspirante que nous avons écoutée. Les ambassadeurs et ambassadrices de ce projet d'écriture ont réalisé des dépassements pour découvrir qu'ils avaient aussi le droit à l'abondance et à la prospérité.

Le plus grand des secrets connus est l'amour. Ayant connu un parcours difficile, nous avons décidé de vaincre nos peurs, de dépasser le regard des autres et la peur du ridicule pour en faire un instrument puissant. Nous avons choisi de partager nos secrets avec vous. Ce livre est une invitation à écouter notre voix intérieure pour connaître nos forces et nos faiblesses qui sont des instruments importants pour nous aider à cheminer vers le bonheur.

Un autre grand secret est la citation suivante : ***Aide-toi et le Ciel t'aidera!*** C'est ce que nous avons fait pour créer ce projet commun d'écriture : 32 êtres humains très différents qui croient au cheminement personnel, des gens de cœur, qui aiment l'être humain et aspirent à l'aider pour vivre dans l'amour, la joie et le bonheur. Je vous invite donc à vous entourer de gens qui ont pris goût à la vie, des gens qui ont la foi, des gens qui peuvent voir l'unicité de chaque être humain. Unissons-nous afin de concrétiser les projets qui nous transportent dans l'amour, la joie, l'abondance et la prospérité.

La clé du succès est maintenant entre vos mains. N'attendez plus les autres pour être heureux. Vous avez été choisi pour être sur cette terre : à vous de jouer votre scénario dans l'amour et de regarder votre prochain avec les yeux du cœur.

Un dernier secret pour devenir plus conscient : ***Aimez-vous les uns les autres.*** Soyez bon envers vous-même, car tout est possible lorsqu'on s'investit dans sa propre vie.

Grâce à ce projet qui a favorisé l'émergence du plein potentiel des ambassadeurs et ambassadrices, nous avons décidé d'écrire un deuxième tome pour partager tous les dépassements et les créations réalisés lors de nos rencontres. Leurs nombreuses libérations intérieures pourront vous inspirer pour continuer à croire en vous et en votre Source divine qui constitue l'énergie puissante et la source de toute création.

Puisque ce projet est vraiment sans frontières, ce tome II sera lancé en France et en Suisse, ce qu'aucun de nous n'aurait pu imaginer! Lorsque l'être humain décide de vaincre les obstacles qui bloquent sa création, la destination dépasse les frontières pour devenir illimitée.

Que décidez-vous à partir de maintenant? Décidez-vous de créer des projets pour être dans l'amour avec vous-même, votre famille et tous les gens qui veulent bien croire en vous? À partir de maintenant, peu importe votre vécu, prenez le temps de vous libérer afin de ressentir votre profonde richesse intérieure.

Avec Amour,

Robert et Ian

Pour rejoindre les auteurs :

Centre de ressourcement Robert Savoie
auteur et conférencier
www.robertsavoie.com

Et

Ian Renaud
auteur et conférencier
www.ianrenaud.com

UN MERCI CHALEUREUX à
Dominic Deschatelets et Louis-Christian Doucet de Septique DD, pour leur soutien financier au projet Destination SANS Frontières

Collection **CROISSANCE PERSONNELLE :** ______

Vivre libre, sans peur! Le secret de Ben (roman d'inspiration) ***Mark Matteson***

Vivre libre, sans peur, pour toujours! Le cadeau de mariage (roman d'inspiration) ***Mark Matteson***

Le pouvoir des mots, ***Yvonne Oswald***

Droit au but, ***George Zalucki***

Réussir avec les autres, 6 principes gagnants, ***Cavett Robert***

Les lois du succès, ***Napoleon Hill (17 leçons en 4 tomes)***

De l'or en barre, ***Napoleon Hill et Judith Williamson***

Nos pensées, leur impact sur notre vie, ***Agathe Raymond***

Doublez vos contacts, ***Michael J. Durkin***

Prospectez avec posture et confiance, ***Bob Burg***

L'art de la persuasion, ***Bob Burg***

La communication, une vraie passion, ***Stéphane Roy et Nora Nicole Pépin***

L'effet Popcorn, ***Marie-Josée Arel et Julie Vincelette***

Devenir son propre patron et le rester, ***Joseph Aoun***

Maîtriser sa petite voix intérieure, ***Blair Singer***

Booster sa motivation, ***Shawn Doyle***

Pour réussir, il faut y croire, ***Fondation Napoleon Hill***

Né pour gagner, ***Zig Ziglar***

Mine d'or de pensées positives, ***Françoise Blanchard***

Le système infaillible du succès, ***W. Clement Stone***

On ne change pas en restant les mêmes, ***Renaud Hentschel***

Commencer par le *POURQUOI*, ***Simon Sinek***

Journal d'un alpiniste, ***Chuck Reaves***

Méga attitudes, ***Billy Riggs***

Votre liberté financière grâce au marketing de réseau, ***André Blanchard***

Collection **RELATION D'AIDE :** ______

Je suis une personne, pas une maladie! La maladie mentale, l'espoir d'un mieux-être, ***groupe d'intervenants***

Les agresseurs et leurs victimes, ***Lise Lalonde***

Collection **EXPÉRIENCE DE VIE :** ______

Hop la vie!, ***Johanne Fontaine***

Drogué... sans l'avoir demandé! ***Suzanne Carpentier***

Briser le silence pour enfin sortir de l'ombre, ***Josée Amesse***

Se choisir, un rendez-vous avec soi-même pour voyager léger, ***Robert Savoie***

Quand l'Éverest nous tombe sur la tête, ***Marie-Sol St-Onge et Alin Robert***

Ce qui ne tue pas rend plus fort, ***VéroniKaHi***

Collection **FANTASTIQUE :** ______

Cabonga, tomes 1-2-3, ***Francesca Lo Dico***

Achevé d'imprimer
sur les presses de
Imprimerie H.L.N.
Imprimé au Canada - Printed in Canada